Mes dictées 5e année

Mes dictées

Sabrina Dufour

Mes dictées de 5e année

Sabrina Dufour

Révision linguistique : Maryse Froment-Lebeau
Correction d'épreuves : Denis Ouellet
Conception graphique et infographie : Bruno Paradis
Conception de la couverture : La boîte de Pandore

5800, rue Saint-Denis, bureau 900
Montréal (Québec) H2S 3L5 Canada
Téléphone : 514 273-1066
Télécopieur : 514 276-0324 ou 1 800 814-0324
caractere@tc.tc

ISBN 978-2-89742-954-6

Dépôt légal : 1er trimestre 2017
Bibliothèque et Archives nationales du Québec
Bibliothèque et Archives Canada

Imprimé au Canada

1 2 3 4 5 M 21 20 19 18 17

Gouvernement du Québec – Programme de crédit d'impôt pour l'édition de livres – Gestion SODEC.

Canada

Table des matières

Mot aux parents

M*es dictées de 5e année* est un outil parfait pour aider votre enfant dans l'apprentissage de l'écriture en 5e année. Afin que vous puissiez l'accompagner dans ces activités, nous vous proposons différents thèmes adaptés aux jeunes, comme les technologies, les sports d'équipe ou encore les animaux disparus. Quelques outils pédagogiques vous sont également présentés en fin de cahier. Ils sont faciles à intégrer dans la réalisation des défis de cet ouvrage et, surtout, ils sont conçus pour être transférés aisément aux tâches scolaires de votre enfant par la suite.

Une carte d'organisation des idées regroupant tous les concepts vus dans ce cahier vous est proposée en fin d'ouvrage. N'hésitez pas à la laisser à la disposition de votre enfant dès le premier exercice, puisqu'il s'agit d'une vue d'ensemble des concepts traités (aide au traitement simultané). Ainsi, il sera plus facile pour votre enfant de faire les liens nécessaires entre ce qu'il travaille dans ce cahier d'exercices et ce qu'il pourrait voir en classe, dans différents contextes.

De plus, dans la dernière section du livre, vous trouverez des cartes concepts à découper (aide au traitement séquentiel). Une fois l'ouvrage terminé, l'enfant peut mélanger ces cartes et vérifier le niveau de ses connaissances un concept à la fois. Présentés sous forme de cartes recto verso, les concepts, associés à leurs mots clés, sont plus faciles à retenir.

Tout au long des exercices, vous remarquerez différents types de questionnements; l'idée derrière cette variété est de favoriser la généralisation des apprentissages (vrai ou faux, dictées trouées, repérage d'erreurs).

En espérant que votre enfant trouve le plaisir de l'écriture dans cet ouvrage et qu'un certain intérêt pour notre belle langue naisse chez lui !

Sabrina Dufour, orthopédagogue

Technologies

À travers ce thème, tu pourras mettre en pratique tes connaissances en *lexique*. Bonnes découvertes !

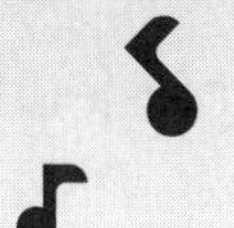

Le sens propre et le sens figuré

Le sens propre est utilisé afin de communiquer les choses comme elles sont. Le sens figuré, quant à lui, est utilisé pour s'exprimer à l'aide d'images. Il est souvent coloré et peut ajouter de la personnalité au discours utilisé.

Par exemple, pour décrire un jeune homme au sens propre, on dira *Ce garçon est très généreux.* Si on décide d'utiliser le sens figuré, on pourra dire *Il a le cœur sur la main.*

1. Voici plusieurs expressions couramment utilisées au Québec et dont le sens est figuré. En utilisant tes connaissances et le dictionnaire en cas de besoin, trouve leur signification et inscris au sens propre le message sous-entendu.

a) J'ai l'impression de chercher une aiguille dans une botte de foin.

____

b) C'est clair comme de l'eau de roche.

____

c) Elle a coupé la poire en deux.

____

d) Je donne ma langue au chat.

____

e) Ils sont au septième ciel.

____

f) Avoir du pain sur la planche.

____

g) Être dans de beaux draps.

____

2. Afin de bien connaître le sens figuré, replace dans le bon ordre les expressions présentées dans la colonne de gauche, puis associe ces locutions correctement écrites aux significations dans la colonne de droite.

a) autour tourner pot du. ____________________	1. S'évanouir, perdre connaissance.
b) dans pommes tomber les. ____________________	2. Être hésitant, ne pas être certain.
c) rose la vie voir en. ____________________	3. Être positif, voir le bon côté.
d) un canard froid de. ____________________	4. Un très grand froid.
e) tête se la creuser. ____________________	5. Chercher. / Réfléchir intensément.

3. Vrai ou faux? Encercle ton choix.

a) Le sens figuré fait toujours appel à l'aspect concret des choses. Vrai Faux

b) Le sens propre n'est jamais utilisé dans les fictions ou les histoires originales. Vrai Faux

---

Fais ton autoévaluation.

J'ai trouvé cette notion :

Encercle ton choix.

1	2	3	4	5	6	7	8	9	10

Facile — Difficile

L'intelligence artificielle

4. Dans ce texte, souligne les expressions qui sont au sens figuré. Arriveras-tu à les trouver toutes les quatre?

Hier soir, Lucas m'a invité chez lui à regarder un reportage qu'il avait enregistré sur un sujet qui me passionne : l'intelligence artificielle. En résumé, cette discipline tente de donner une certaine forme d'intelligence à des machines. Celles-ci arrivent à accomplir des tâches tellement impressionnantes que les bras m'en tombent. Bien certainement, il arrive que les robots se mettent un peu les pieds dans les plats dans des situations nouvelles, mais l'intelligence artificielle se perfectionne de plus en plus. Ce secteur en plein développement ne donne pas accès à tous ses travaux en cours, car les murs peuvent avoir des oreilles et les primeurs seraient vite volées. En attendant de voir des robots les accueillir chez le dentiste ou chez le médecin, les humains sont sauvés par la cloche ; il leur reste toujours leur chaleur et leurs réelles émotions.

5. Voici une courte liste de mots utilisés dans les exercices de cet ouvrage et dont l'apprentissage est recommandé en 5e année. Afin de bâtir ton propre dictionnaire, inscris-les en ordre alphabétique dans un cahier.

avocat	copain
science	emploi
bouquet	hôtel
impatience	monnaie
prénom	fusée

Les mots génériques

Les mots génériques sont utilisés afin de créer des catégories de sens pour décrire des êtres ou des objets. Ce sont de grandes familles de mots spécifiques réunis sous un terme global. Par exemple, le nom générique *bijou* pourrait être utilisé afin de réunir les mots spécifiques *collier, bague, boucles d'oreilles* et *montre.*

1. Choisis le bon mot générique parmi ceux entre parenthèses afin de remplacer le ou les mots spécifiques soulignés dans chaque énoncé. Encercle ta réponse. N'hésite pas à vérifier ta réponse dans ton dictionnaire.

a) Après une partie sur sa console de jeux, Sara décide de manger quelques framboises (légumes, fruits, conserves).

b) Le nouvel ordinateur de Simon doit être déposé sur la table du salon (bâtiment, meuble, cosmétique).

c) Le nouveau véhicule utilitaire sport de Maxime a un système de son incroyable (remorque, voiture, bicyclette).

d) Ariane et Laurence pratiquent leur chorégraphie de salsa avant leur cours (musique, danse, nature).

e) Sébastien a du mal à utiliser sa main tellement il a joué longtemps avec la manette de sa console de jeux (végétaux, vaisselle, partie du corps).

f) Cette souris ressemble étrangement à une aubergine ou à une petite courge (légumes, fleurs, plantes).

g) Je viens tout juste de trouver un excellent blogue qui nous explique comment bien utiliser la crème de jour, le rouge à lèvres ou encore le mascara (produits ménagers, cosmétiques, produits laitiers).

h) Les achats sont maintenant simplifiés grâce à ce site Internet. J'ajoute au panier des verres et des assiettes pour ma soirée de demain (meubles, vaisselle, électroménagers).

2. Tu as sans doute remarqué un peu partout dans ton quotidien (à l'école, au resto) qu'on utilise beaucoup de mots génériques. En voici quelques-uns dans la rangée du haut. À l'aide des choix de réponses proposés dans la rangée du bas, fais les associations. Tu peux utiliser ton dictionnaire pour t'aider.

a) loisirs b) arts c) bâtiments d) vêtements e) desserts

biscuits gâteaux crème glacée	tuque botte mitaine	photographie danse dessin	banque école église	hockey soccer lecture

3. Vrai ou faux ? Encercle ton choix.

a) Les mots génériques permettent de réduire la répétition de mots dans un texte. Vrai Faux

b) Pour un mot spécifique (ex. : ballon), il peut y avoir plus d'un mot générique. Vrai Faux

Fais ton autoévaluation.

J'ai trouvé cette notion :

Encercle ton choix.

1	2	3	4	5	6	7	8	9	10

Facile — Difficile

La nouvelle tablette

4. Dans ce court texte, inscris sous chaque mot générique souligné un mot spécifique qui est dans la même catégorie de sens. Par exemple, avec le mot générique *vêtement*, nous pourrions utiliser les mots spécifiques *chandail*, *pantalon* ou *bas*. Regarde le reste de la phrase afin de bien choisir ta réponse.

C'est la rentrée scolaire et mon père et moi sommes en route pour acheter tout

____

le matériel nécessaire. En voiture, mon père affiche un petit sourire en coin. Il

____

m'annonce qu'il me réserve une surprise. On entre dans un commerce et l'employé

____

vient nous voir. Mon père lui demande s'il peut voir les nouveaux appareils

____

technologiques reçus récemment. L'employé nous conduit jusqu'à l'arrière du bâtiment

____

où se trouve un véhicule qui contient plusieurs ordinateurs et tablettes. Il en

____

ressort un contenant dans lequel se trouve une tablette électronique. Mon père

____

me la remet et me souhaite une bonne année scolaire remplie de succès !

____

Les antonymes

Les antonymes sont des mots dont le sens s'oppose, ils sont donc contraires.

Par exemple, *haut* et *bas* sont des antonymes.

1. Pour chaque énoncé, écris l'antonyme du mot entre parenthèses et accorde-le au besoin en genre et en nombre. Attention au reste de la phrase, tu peux y trouver de précieux indices pour choisir tes réponses !

a) Afin de protéger tes informations personnelles, tu dois toujours choisir le mode ordinateur (privé) ________________ à la bibliothèque.

b) Mon nouveau portable démontre de nettes (détériorations) ________________, surtout pour la qualité des photos.

c) Grâce aux réseaux sociaux, une jeune fille dont (l'apparition) ________________ avait été annoncée hier a été retrouvée.

d) Je viens tout juste de changer mon étui à cellulaire puisqu'il n'était pas assez (flexible) ________________.

e) La connexion internet au chalet est tellement (rapide) ________________ que certaines applications ne peuvent être démarrées.

f) Afin que mon téléphone ne reste pas (sec) ________________, le conseiller m'a recommandé de le laisser quelques jours dans un sac de riz.

g) Je ne peux plus recevoir de courriels, car ma messagerie électronique est (vide) ________________.

h) Ma mère m'a confisqué mon portable. Elle me le remettra lorsque ma chambre sera en (désordre) ________________.

i) Livia, une jeune fille qui vient tout juste d'(émigrer) ________________au pays, semble très gênée.

2. Associe chacun des adjectifs listés dans la colonne de gauche à son antonyme parmi ceux de la colonne de droite. N'hésite pas à utiliser le dictionnaire si le sens d'un adjectif doit être précisé !

avare	patient
impatient	rare
coupable	généreux
fort	innocent
commun	faible

3. Vrai ou faux ? Encercle ton choix.

a) Les antonymes doivent toujours provenir de la même classe de mots (ex. : deux adjectifs ou deux noms). Vrai Faux

b) Les antonymes ne peuvent être des verbes. Vrai Faux

Fais ton autoévaluation.

J'ai trouvé cette notion :

Encercle ton choix.

1	2	3	4	5	6	7	8	9	10

Facile Difficile

Une montre qui sait tout

4. Choisis l'antonyme de chaque mot souligné parmi les mots entre parenthèses et encercle ta réponse. Tu peux consulter le dictionnaire pour vérifier tes hypothèses de travail.

Je suis toujours en retard et j'oublie pratiquement tout. Mes parents se plaisent à dire que je suis né dans les nuages et que j'y suis resté. Bien que je trouve parfois cette situation drôle, je peux me retrouver bien vite avec de sérieux problèmes, surtout à l'école. Mon <u>ennemi</u> (frère, ami, jumeau) Victor m'a proposé d'utiliser sa montre qui sait tout. C'est comme ça qu'il la nomme. Cette montre fait le <u>malheur</u> (tristesse, surprise, bonheur) des grands désorganisés, car elle propose différentes applications pour mieux planifier les actions quotidiennes. Par exemple, <u>après</u> (prochainement, avant, maintenant) un cours d'arts, on peut programmer une alarme pour se rappeler de prendre son matériel. Tous les retardataires pourront ainsi crier <u>défaite</u> (hourra, fort, victoire) devant les oublis de tous les jours. Ce nouvel outil pourra même être utile jusqu'à la <u>jeunesse</u> (vieillesse, sagesse, maladresse) en cas de perte de mémoire !

5. Voici une courte liste de mots utilisés dans les exercices de cet ouvrage et dont l'apprentissage est recommandé en 5e année. Cependant, deux erreurs se sont glissées dans cette liste. Encercle les deux mots fautifs !

respect	félicitation
roman	gant
thé	longeur

Les synonymes

Les synonymes sont des mots qui ont un sens proche, mais pas identique. Ils sont interchangeables dans une phrase, et cette modification ne change pas l'intention du message. Par exemple, *jolie* et *belle* sont des synonymes :
Clara est belle avec sa jupe et *Clara est jolie avec sa jupe.*
Attention aux accords !

1. Voici une banque de noms communs. Utilise-la pour compléter les énoncés en choisissant le synonyme du mot entre parenthèses.

écrits	avocat	vêtements	
mare	tasse	argent	vendeur

a) Le magasinage en ligne facilite beaucoup l'achat de (linge) _______________.

b) L'utilisation d'(monnaie) _______________ virtuel est de plus en plus acceptée dans les commerces.

c) Afin de faciliter la composition d'(textes) _______________ avec notre tablette, des claviers sont maintenant proposés dans le rayon des accessoires.

d) Ali, le chien de notre voisin, a fait tomber le cellulaire de son maître dans l'(étang) _______________.

e) Nous quittons la boutique d'électronique puisque le (marchand) _______________ ne peut pas répondre à nos questions.

f) Cet enfant a lancé un (gobelet) _______________ directement sur l'ordinateur du vendeur.

g) Au procès pour cette affaire de fraude internet, un (procureur) _______________ sera nommé pour défendre la victime présumée.

2. À ton tour maintenant de trouver de nouveaux synonymes ! À l'aide du dictionnaire, trouve un synonyme aux noms suivants. N'oublie pas, le sens n'a pas à être absolument identique, mais il doit s'en rapprocher le plus possible. Plusieurs réponses sont possibles, dans certains cas.

a) Une belle émotion ____________________

b) Un petit troupeau ____________________

c) Voici ma femme ____________________

d) Une grosse tempête ____________________

e) Un bon livre ____________________

3. Vrai ou faux ? Encercle ton choix.

a) Lorsque deux mots ne sont pas des synonymes, ils sont forcément des antonymes. Vrai Faux

b) Les synonymes sont propres à la langue française et on ne peut en retrouver dans les autres langues. Vrai Faux

Fais ton autoévaluation.

J'ai trouvé cette notion :

Encercle ton choix.

1	2	3	4	5	6	7	8	9	10

Facile Difficile

Un logiciel entrepreneur

4. Dans ce texte, plusieurs propositions de synonymes sont inscrites entre parenthèses. Cependant, quelques erreurs se sont glissées et tu dois les repérer. Dans le carré qui suit les synonymes, fais un X aux endroits où tu trouves une erreur.

Ma famille et moi allons bientôt déménager dans notre nouvelle maison. C'est mon père qui l'a conçue à l'aide d'un (logiciel / programme ☐) d'autoconstruction. Je l'ai bien sûr aidé à choisir les matériaux comme les (fenêtres / vitres ☐) et même certains petits articles comme les lits ou les (tapis / carpettes ☐). La (construction / planification ☐) a été longue et nous avons dû mettre la main à la pâte à plus d'une occasion. Le logiciel était d'une grande aide lorsque nous devions nous assurer des dimensions du (bâtiment / immeuble ☐), et nous pouvions voir en trois dimensions le produit final avant même la première pelletée de terre. Bien certainement, ce n'est pas notre ordinateur qui a réalisé le projet et on a dû utiliser plusieurs (équipements / travaux ☐) spécialisés.

5. Voici une courte liste de mots utilisés dans les exercices de cet ouvrage et dont l'apprentissage est recommandé en 5e année. Afin de bâtir ton propre dictionnaire, inscris-les en ordre alphabétique dans un cahier.

recette	vengeance
définition	pneu
grippe	projet
nœud	examen
outil	parfum

Les préfixes

Les préfixes sont des éléments qui se placent en début de mot, tout de suite avant l'élément central ou la racine du mot. Par exemple, le préfixe *kilo-* est ajouté en tête de plusieurs mots afin de spécifier qu'il y en a mille (ex. : kilomètre, kilogramme).

1. Trouve les préfixes utilisés dans les exemples ci-dessous et essaie de deviner leur signification. Encercle le préfixe de chaque mot souligné et inscris ton hypothèse sur la ligne.

a) Ce logiciel antivirus ne semble pas aussi efficace que l'ancien installé sur ce poste.

____

b) Je dois aller à la bibliothèque afin d'ajouter des références dans la bibliographie de mon travail d'histoire.

____

c) Une application permettant l'utilisation du cellulaire en tant que thermomètre est maintenant disponible.

____

d) Le microcapteur de mon appareil photo doit être remplacé. J'irai en acheter un en même temps qu'un nouveau four à micro-ondes.

____

e) Ce blogueur est un grand malcommode. On dit même qu'il est malpropre lors de ses tournages.

____

f) Ce site traite de plusieurs sujets intéressants, notamment l'aéronautique et l'aérospatiale.

____

2. Associe les préfixes soulignés dans la colonne de gauche aux significations proposées dans la colonne de droite.

multicolore, multiple, multimillionnaire	eau
aquarium, aquarelle, aquatique	soi-même
automobile, autonomie, automatique	cœur
prévente, prévenir, prévisible	plusieurs
cardiologue, cardiologie, cardiovasculaire	avant

3. Vrai ou faux ? Encercle ton choix.

a) Les préfixes peuvent s'écrire de différentes façons selon le mot, et ce, même si le sens est identique (ex. : *contraire de* peut s'écrire *in-* ou *im-*). Vrai Faux

b) Les préfixes se trouvent au début du mot. Vrai Faux

Fais ton autoévaluation.

J'ai trouvé cette notion :

Encercle ton choix.

1	2	3	4	5	6	7	8	9	10

Facile — Difficile

Clichés et souvenirs

4. Ajoute les préfixes appropriés dans la dictée suivante en utilisant les indications entre parenthèses. N'oublie pas de lire la phrase en entier afin de valider ta réponse et de l'accorder correctement.

Tous les jours, je me fais un devoir de visiter mon blogue afin d'y ajouter certains éléments. Il y a plus d'un an que j'ai amorcé cette expérience et je trouve que cette (moitié) ________-heure de travail quotidien m'aide à me détendre. Généralement, je compose de courts articles sur des expériences que j'ai vécues, comme mon saut en (protège)______chute. Certains sont plutôt drôles, puisque ces récits ne finissent pas toujours comme prévu, (pas) _____chanceuse comme je suis. Par exemple, une journée de ski s'est terminée par une (rayon) ________graphie de mon avant-bras après que j'ai fait une grosse chute. Après un an de compilation de photos et d'anecdotes, je vois cet exercice comme un gros album souvenir de ma vie. Prochaine aventure à raconter : une plongée (en dessous) _____-marine dans le Saint-Laurent !

5. Voici une courte liste de mots utilisés dans les exercices de cet ouvrage et dont l'apprentissage est recommandé en 5e année. Cependant, deux erreurs se sont glissées dans cette liste. Encercle les deux mots fautifs !

armée	jeunesse
baggage	mélodie
conversation	mirroir

Animaux disparus

À travers ce thème, tu pourras mettre en pratique tes connaissances en *accords*.

Bonnes découvertes !

Les déterminants

Un déterminant est un mot placé devant un nom pour l'introduire et le préciser. Par exemple, dans *Cette maison est étrange*, le déterminant *cette* est placé devant le nom *maison* afin de préciser de quelle maison on parle ; il s'agit d'un déterminant démonstratif. D'autres déterminants désignent une notion de lien avec un objet ou une personne, comme *mon* ou *ton*. Ce sont des déterminants possessifs.

1. Ajoute le déterminant qui convient le mieux dans les énoncés suivants. Fais ton choix parmi les déterminants dans l'encadré et indique s'il s'agit d'un déterminant possessif ou démonstratif.

cet ton mon ces son tes ce vos ma

	possessif	démonstratif
a) ________ animal n'a jamais vécu en groupe.	☐	☐
b) L'ancêtre de ________ grand-père jurait avoir déjà vu un de ces lions.	☐	☐
c) ________ mère vient de m'offrir un livre sur les animaux disparus.	☐	☐
d) Un mammouth pouvait être aussi haut que ________ camion remorque, juste là.	☐	☐
e) ________ père ne pourra jamais trouver une plus belle réplique de tyrannosaure.	☐	☐
f) ________ cousins arrivent, je les vois dans ton stationnement.	☐	☐

2. Associe les déterminants listés dans la colonne de gauche aux phrases (énoncés) proposées dans la colonne de droite. Plusieurs réponses sont possibles.

Beaucoup de	dinosaure n'a survécu à cette tragédie.
Aucun	ancêtres se souviendront peut-être d'eux.
Cinquante	espèces étaient alors répertoriées.
Nos	ossements sont retrouvés chaque année.
Quelques	questions demeurent sans réponse.

3. Vrai ou faux? Encercle ton choix.

a) Les déterminants sont toujours des donneurs d'accord. Ce sont eux qui déterminent le genre et le nombre du nom qui suit. Vrai Faux

b) Il n'existe que deux types de déterminants : démonstratifs et possessifs. Vrai Faux

Fais ton autoévaluation.

J'ai trouvé cette notion :

Encercle ton choix.

1	2	3	4	5	6	7	8	9	10

Facile Difficile

Le quagga

4. Choisis, parmi les déterminants proposés dans l'encadré, celui qui complète le mieux chacun des énoncés du texte. N'oublie pas de vérifier l'accord des déterminants.

au	quelle	cet	certains	son
quelques	leur	aucune	ce	

Aujourd'hui, nous avons la chance de pouvoir observer ________________ zèbres dans les zoos du Québec. Mais nous ne pouvons plus apprécier la beauté de ________________ cousin : le quagga. En effet, à cause d'une chasse intensive, ________________ bel animal a complètement disparu. Le quagga se distinguait du zèbre par son pelage aux jolies rayures noires et blanches, mais seulement jusqu'________________ ventre. Un beau poil brun pâle recouvrait le reste de son corps. Grâce à ________________ scientifiques, nous pouvons espérer revoir ________________ animal, puisqu'un travail en ce sens a justement lieu en Afrique du Sud. Gardons l'œil ouvert !

Les adjectifs

Les adjectifs complètent les noms et se placent généralement juste après ceux-ci (quelques fois devant). Ils s'accordent en genre et en nombre avec le nom qu'ils accompagnent. (Ex. : *Cette pierre naturelle*.)

1. Ajoute l'adjectif qui convient le mieux dans les exemples suivants parmi les choix dans l'encadré. N'oublie pas d'accorder chaque adjectif avec le nom qu'il accompagne.

contraire	lointain	magnifique	patient
coupable	solitaire	pointu	

a) Le musée de ma région propose une exposition sur les ____________ dinosaures.

b) Nous devrons être ____________ avant l'ouverture officielle du zoo.

c) Cette histoire est totalement ____________ à ce que j'ai lu.

d) Ces animaux semblent provenir d'une histoire ____________, mais ils existaient il y a à peine quelques décennies.

e) Ce sont nous, les humains, qui sommes les principaux ____________ de leur disparition.

f) Les plaques sur leur dos étaient tellement ____________ qu'elles pouvaient transpercer leurs adversaires.

g) Cette espèce en particulier n'appréciait pas les troupeaux. Elle était considérée comme ____________.

2. Plusieurs classes de mots sont mélangées ci-dessous. À l'aide des informations de la page précédente, détermine lesquels sont des adjectifs et encercle-les.

discret	cahier	intelligent
manger	fameux	plume
cellulaire	brun	lourd
nager	baignoire	table
haute	vraiment	mouchoir

3. Vrai ou faux ? Encercle ton choix.

a) L'accord en genre et en nombre de l'adjectif se fait avec le nom qu'il accompagne. Vrai Faux

b) On peut généralement remplacer un adjectif par un autre afin de vérifier s'il appartient bien à cette classe de mots. Vrai Faux

Fais ton autoévaluation.

J'ai trouvé cette notion :

Encercle ton choix.

1	2	3	4	5	6	7	8	9	10

Facile — Difficile

Le glyptodon

4. Dans ce texte, repère au moins dix adjectifs et vérifie si leur accord est bien fait. Si tu constates une erreur, fais la correction sur la ligne prévue à cet effet.

Malgré son nom qui nous fait penser aux plus récent manèges d'un parc d'attraction,

____

cet animal n'a rien à voir avec les montagnes russes. Il s'agit d'un tatou géante qui

____

a vécu principalement en Amérique du Sud, mais aussi en Amérique centrale.

____

Le nom *glyptodon* signifie «dents gravées», et cette gigantesque bête se

____

caractérise entre autres par son dos arrondis et sa queue agile. Cette créature

____

pouvait peser jusqu'à 2 000 tonnes et atteindre une hauteur maximale de 3 mètres.

____

Heureusement pour l'humain, le glyptodon était herbivore et ne l'a jamais vu

____

comme sa prochaine collation!

____

5. Voici une courte liste de mots utilisés dans les exercices de cet ouvrage et dont l'apprentissage est recommandé en 5e année. Cependant, deux erreurs se sont glissées dans cette liste. Encercle les deux mots fautifs!

bijou	floquon
album	honeur
épicerie	guérison

Les pronoms

Le pronom est utilisé pour remplacer un mot ou un groupe de mots dans une phrase. Les pronoms prennent le genre et le nombre des mots qu'ils remplacent (ex. : Simone est embêtée. Elle ne sait pas quoi choisir). Il existe différents types de pronoms, comme les pronoms personnels, qui indiquent la personne grammaticale (ex. : *je, nous, ils*), et les pronoms démonstratifs, qui montrent de qui ou quoi on parle (ex. : *ceux-là*).

1. Trouve le pronom qui convient le mieux dans les exemples suivants parmi les choix dans l'encadré. Plusieurs réponses sont possibles.

celui-là	le mien	je	la sienne	on
celle-ci	nous	le tien	elle	

a) _________ est aussi grand que le tien. Nous avons donc des cochons d'Inde identiques.

b) Maria m'a montré son livre. _________ était vraiment intéressant.

c) Ma réponse est définitive : _________ ne veux pas vous le rendre.

d) La mâchoire du tyrannosaure est impressionnante. _________ possède une force incroyable.

e) Ma mère et moi sommes allées voir l'exposition. _________ avons été surprises des espèces présentées.

f) _______ annonce de la pluie demain matin, peut-être que l'activité sera reportée.

g) Mes sœurs et moi devrons _________ y habituer d'ici quelques jours.

h) Ce résumé de la présentation semble plus complet que _________.

2. Associe les pronoms listés dans la colonne de gauche aux phrases (énoncés) proposées dans la colonne de droite. Plusieurs réponses sont possibles.

Elles	Ses dents sont dix fois plus longues que ________.
Celles-ci	Les femelles étaient un peu plus légères : ________ pesaient 20 kilos de moins en général.
Celui-là	_______ ne devriez pas être surpris de cette nouvelle.
Les vôtres	Voici la photo d'un troupeau de dinosaures avec les femelles. _________ sont avec leurs petits.
Vous	Ce mammouth semble souffrant, et _________ lui porte secours.

3. Vrai ou faux ? Encercle ton choix.

a) Les pronoms sont variables et prennent le genre et le nombre des mots qu'ils remplacent. Vrai Faux

b) Les pronoms numéraux n'existent pas. Il s'agit toujours de déterminants numéraux (*quatre, vingt*). Vrai Faux

---

Fais ton autoévaluation.

J'ai trouvé cette notion :

Encercle ton choix.

1	2	3	4	5	6	7	8	9	10

Facile — Difficile

Le tyrannosaurus rex

4. Choisis le pronom parmi ceux proposés entre parenthèses qui remplace le mieux les mots soulignés dans le texte. Encercle ta réponse. N'oublie pas de vérifier l'accord de chaque pronom !

C'est probablement le nom de dinosaure le plus connu d'entre tous, mais les tyrannosaures fascinent toujours autant les amoureux de cette espèce disparue. En effet, (les dinosaures, ils, vous) ont été largement décrits, et, grâce à tous les squelettes retrouvés, plusieurs répliques en ont été construites. Plusieurs documentaires sont également diffusés au petit écran, et (celui-là, celui-ci, ceux-ci) sont très appréciés du jeune public. Les jeunes sont effectivement les plus nombreux à chercher de l'information sur les dinosaures en général, et (elles, il, ils) collectionnent plusieurs objets concernant ces impressionnants animaux.

5. Voici une courte liste de mots utilisés dans les exercices de cet ouvrage et dont l'apprentissage est recommandé en 5e année. Afin de bâtir ton propre dictionnaire, inscris-les en ordre alphabétique dans un cahier.

pyjama	gant
ancêtre	essence
compliment	muscle
foyer	enveloppe
chalet	méthode

Les adverbes

Les adverbes, qui sont toujours invariables, ajoutent une précision ou modifient le sens d'un mot, généralement un adjectif ou un verbe. Les adverbes sont supprimables dans la phrase. Cette action ne change pas l'essence du message, mais peut faire varier son intensité. Par exemple, *Nous marchons ensemble* et *Nous marchons <u>rapidement</u> ensemble* sont deux messages semblables, mais l'ajout de l'adverbe *rapidement* modifie le second.

1. Choisis le bon adverbe parmi ceux entre parenthèses afin de modifier le mot souligné. N'hésite pas à consulter le dictionnaire en cas de doute ! Encercle ta réponse.

a) Le paléontologue doit <u>chercher</u> (prudent, prudemment, prudiment) les ossements enfouis.

b) (Peu, Peux, Peut) <u>de spécialistes</u> peuvent se vanter de cet exploit.

c) Plusieurs découvertes <u>se sont faites</u> (prais, près, prêt) de ce site.

d) Grâce aux nouvelles publications, nous savons maintenant que ce mammouth <u>se déplaçait</u> (lente ment, lentemment, lentement).

e) Le quagga pouvait (souvant, souvent, souvemt) <u>se montrer</u> docile avec l'humain.

f) Ces articles <u>traitent</u> (tard, toujours, malgré) des faits les plus saillants.

g) (Principalement, Justement, Dorénavant), <u>vous devrez</u> apprendre à les reconnaître par leurs caractéristiques physiques.

h) C'est exactement la même idée que celle <u>enseignée</u> (bien sûr, hier, soudain).

2. À ton tour maintenant de trouver de nouveaux adverbes ! Trouve l'adverbe qui modifie le mieux les mots suivants. Attention ! Tu dois conserver le sens du message de départ. Plusieurs réponses sont possibles.

a) Cet animal ____________ pouvait ____________ garder sa tête sous l'eau.

b) Commencez la visite sans moi, nous nous retrouverons ____________.

c) Il vous répondra ____________ bientôt, je crois qu'il s'en vient.

d) Vous aviez ____________ et ____________ raison, cette information était fausse.

e) ____________, cet animal pouvait se promener sans danger dans la nature. Il ne pourrait plus le faire de nos jours.

3. Vrai ou faux ? Encercle ton choix.

a) L'adverbe peut être placé partout dans la phrase, où il occupe souvent des positions différentes. Vrai Faux

b) Les adverbes peuvent être classés en différentes catégories, comme les adverbes de lieu, de temps… Vrai Faux

---

Fais ton autoévaluation.

J'ai trouvé cette notion :

Encercle ton choix.

1	2	3	4	5	6	7	8	9	10

Facile Difficile

4. Ajoute les adverbes appropriés dans la dictée suivante en suivant le sens suggéré entre parenthèses. N'oublie pas de lire la phrase en entier afin de valider ta réponse.

Par une chaude journée de juin, notre enseignant a eu une drôle d'idée. Il nous a demandé d'entamer une recherche de groupe sur les mammouths, (probable) _____________ les animaux les mieux équipés pour affronter les journées les plus froides. Après quelques minutes de recherche sur Internet, j'ai effectivement constaté qu'ils possédaient (à un degré élevé) _____________ de poils qu'ils pouvaient vivre dans des froids extrêmes. De plus, une épaisse couche de graisse protégeait tout leur corps. (Par contre) _____________, ces caractéristiques ne leur ont pas permis de survivre aux changements du climat, qui est devenu (vite) _____________ chaud.

5. Voici une courte liste de mots utilisés dans les exercices de cet ouvrage et dont l'apprentissage est recommandé en 5e année. Cependant, deux erreurs se sont glissées dans cette liste. Encercle les deux mots fautifs !

haleine	entrevue
contra	follie
degré	atelier

Les conjonctions (coordination)

La conjonction peut être composée d'un ou plusieurs mots et est utilisée pour unir plusieurs éléments (mots, groupes, phrases) ayant une idée commune. Par exemple, la conjonction *car* est utilisée pour expliquer la cause du premier énoncé : *Sophie est à l'hôpital car elle est tombée.*

1. Choisis la conjonction parmi les choix entre parenthèses qui pourra unir ces énoncés. Encercle ta réponse.

a) Je devais enregistrer ce documentaire, (alors, mais, ou) j'ai complètement oublié.

b) On a longtemps pensé que le mammouth était l'ancêtre de l'éléphant, (alors, si, parce qu') il y a de nombreuses ressemblances entre eux.

c) Nous aurions pu connaître cette espèce (mais, alors, si) il n'y avait pas eu autant de chasseurs à l'époque.

d) Je vais chercher des informations sur leurs caractéristiques physiques (mais, or, pendant que) tu documentes leur histoire.

e) Louise (quand, ou, et) Claire iront ensemble voir le film.

f) Il a commencé par étudier l'histoire de leur évolution, (en outre, puis, mais) il a cherché à comprendre leur comportement.

g) Il a annulé sa visite à la dernière minute et, (au contraire, après tout, par conséquent), il a également reporté sa conférence.

h) Il est allergique aux noix et aux œufs. (Ainsi, Pourtant, De plus), il tolère mal le lactose.

2. Associe les conjonctions de coordination listées dans la colonne de gauche aux phrases (énoncés) proposées dans la colonne de droite. Plusieurs réponses sont possibles. Chaque conjonction peut être choisie plus d'une fois.

puisque	La liste des animaux disparus augmente ________ la pollution est grandissante.
quand	Les livres ________ Internet demeurent d'excellentes sources d'information sur le sujet.
ni	Plusieurs films d'animation sont inspirés de ces animaux, ________ il demeure important de connaître leur histoire.
car	La population de ces bêtes a diminué ________ l'homme est arrivé sur le continent.
ou	Ni le climat ________ l'être l'humain ne sont responsables de cette perte.

3. Vrai ou faux? Encercle ton choix.

a) Une conjonction peut être un mot simple ou un mot composé. Vrai Faux

b) Les prépositions et les conjonctions ont exactement la même fonction dans une phrase. Vrai Faux

Fais ton autoévaluation.

J'ai trouvé cette notion :

Encercle ton choix.	1	2	3	4	5	6	7	8	9	10
	Facile									Difficile

Le grand pingouin

4. Choisis, parmi les conjonctions proposées entre parenthèses, celle qui introduit le mieux les mots qui suivent dans la phrase. Encercle ta réponse.

Une sortie au Biodôme de Montréal est organisée par mon école, (mais, puisque, si) nous avons enfin accompli le travail d'une moitié d'année scolaire. Arrivés sur place, nous commençons notre visite dans les climats chauds et humides. J'aime bien y voir la faune, (mais, si, quand) le meilleur moment pour moi sera probablement dans la section froide de notre parcours. Enfin, les voilà ! Les pingouins ! Rapidement, la responsable me corrige (pendant, et, ou) nous explique qu'il ne s'agit pas du tout de pingouins, mais bien de manchots. Elle nous raconte qu'il y avait de nombreux grands pingouins au monde, mais qu'ils ont complètement disparu, aujourd'hui. Il ne reste qu'une espèce documentée : le petit pingouin. Disons que je reviendrai à la maison avec de nouvelles connaissances, (car, quand, alors) j'ignorais totalement ces différences.

5. Voici une courte liste de mots utilisés dans les exercices de cet ouvrage et dont l'apprentissage est recommandé en 5e année. Afin de bâtir ton propre dictionnaire, inscris-les en ordre alphabétique dans un cahier.

quai	écorce
gaz	flamme
adresse	maillot
conversation	policier
boutique	société

Sports d'équipe

À travers ce thème, tu pourras mettre en pratique tes connaissances en *orthographe d'usage.*

Bonnes découvertes !

Les mots se terminant par é ou ée

La majorité des mots féminins qui se terminent par le son é ne prennent pas de *e* muet à la fin. Cependant, il existe quelques exceptions, comme les mots *dictée, portée, pelletée* ou encore *montée*. Tous les noms se terminant par *tié*, comme *amitié*, ne prennent pas de *e* muet à la fin.

1. Ajoute la terminaison *é* ou *ée* aux mots à compléter. N'oublie pas de vérifier le genre et le nombre des noms ainsi que les exceptions, selon le cas. Utilise le dictionnaire au besoin.

a) En début d'ann_____, les activit__________ parascolaires ont été affichées.

b) Il est difficile de choisir, car il y a tellement de possibilit_____.

c) Notre enseignant d'éducation physique nous annonce qu'il y aura des cours de plong_____.

d) L'an dernier, nous avons gagné la médaille d'or. Quelle fiert_____ pour notre école !

e) L'équipe de football participera à une publicit_____ pour annoncer le prochain tournoi.

f) La sociét_____ semble très axée sur le sport et fait preuve d'une grande ouverture dans la modification de ses habitudes.

g) Après un long entraînement, j'adore savourer un bon th_____ glacé.

h) Cette pente semble avoir au moins vingt degr_____ d'inclinaison.

2. Classe tous les noms de cette liste dans la bonne colonne en vérifiant s'ils sont masculins ou féminins.

autorité	exposé	liberté	comité	société
unanimité	degré	beauté	sévérité	bouée

Masculin	Féminin

3. Vrai ou faux ? Encercle ton choix.

a) Souvent, les noms féminins qui ne prennent pas de *e* à la fin sont des éléments abstraits (ex. : *absurdité*, *bonté*, *santé*). Vrai Faux

b) Il existe une règle qui explique toutes les exceptions à la règle des noms féminins avec une terminaison en *té* ou en *tée*. Vrai Faux

---

Fais ton autoévaluation.

J'ai trouvé cette notion :

Encercle ton choix.

1	2	3	4	5	6	7	8	9	10

Facile Difficile

Le hockey

4. Voici un court texte présentant plusieurs mots se terminant par *é/ée*. Cependant, quelques erreurs se sont glissées dans la rédaction de ce texte. Souligne tous les noms féminins se terminant par *é* ou *ée*, et si tu constates une erreur, fais la correction sur la ligne prévue à cet effet.

Mes frères et moi sommes allés à notre première séance d'entraînement de

____

hockey en cette belle matiné. Nous sommes tous les trois dans des équipes

____

différentes, mais la majoritée de nos entraînements ont lieu au même moment.

____

Bien entendu, nous devons nous lever avant même la clartée du jour, mais ce

____

sacrifice nous permet de pratiquer notre sport préféré en famille. Bien qu'il y ait

____

parfois une grande hostilitée entre certaines équipes, nous arrivons quand même

____

à nous lier d'amitié avec quelques joueurs adverses. Après tout, c'est ça,

____

la beautée du sport d'équipe. Cela nous permet de développer certaines

____

qualités qui nous seront utiles pour le reste de notre vie.

____

Les consonnes *c* et *g*

Les consonnes *c* et *g* peuvent être dites dures ou douces selon les lettres qui les suivent. Elles sont dures (sons [k] et [g]) devant les lettres *a*, *o* ou *u* et douces (sons [s] et [j]) devant les lettres *e*, *i* et *y*. Pour changer les consonnes *c* et *g* dures en consonnes douces, il faut ajouter un *e* après le *g* (ex. : *mangeons*) ou une cédille sous le *c* (ex. : *commençons*). Pour transformer le *g* doux en *g* dur, on le fait suivre d'un *u* (ex. : *guetter*).

1. Ajoute les consonnes *c* et *g* manquantes. Détermine s'il faut leur ajouter quelque chose pour obtenir le bon son. Indique ensuite s'il s'agit d'une consonne dure ou douce. Au besoin, consulte le dictionnaire.

c	ge	g	ç	gu

a) Ce gar____on ne semble pas prêt à intégrer l'équipe.
Il s'agit d'une consonne ____________.

b) Nous l'avons bien eu. Il est tombé dans la ____eule du loup.
Il s'agit d'une consonne ______________.

c) Ce ____arnet est rempli de souvenirs de nos récents tournois.
Il s'agit d'une consonne ______________.

d) Promets-moi d'apporter ta ____itare la semaine prochaine pour nous encourager durant la partie.
Il s'agit d'une consonne ______________.

e) Notre ____onversation s'est terminée assez rapidement lorsque la partie a débuté.
Il s'agit d'une consonne ____________.

2. Classe tous les mots de cette liste dans la bonne colonne en vérifiant s'ils contiennent une consonne *c* ou *g* soulignée dure ou douce. Revois la règle de la page précédente en cas de doute.

bague personnage régulier ancêtre
orage wagon associer rancune bagage
vengeance océan civilisation

Consonne douce	Consonne dure

3. Vrai ou faux ? Encercle ton choix.

a) Nous devons prononcer la consonne *c* comme un *s* devant les lettres *e*, *i* et *y*. Vrai Faux

b) La consonne *c* n'a jamais de cédille devant les lettres *e*, *i* et *y*. Vrai Faux

---

Fais ton autoévaluation.

J'ai trouvé cette notion :

Encercle ton choix.

1	2	3	4	5	6	7	8	9	10

Facile Difficile

Un sport stratégique

4. Ajoute les consonnes *c* et *g* manquantes en déterminant s'il faut leur ajouter quelque chose pour obtenir le bon son. Au besoin, consulte le dictionnaire.

c	ge	g	ç	gu

Notre école re___oit l'une des plus grandes équipes de football de notre province pour la finale de ce soir. Après plusieurs jours de publicité annon___ant cette partie, aucun siè___e n'est libre. Bien entendu, j'ai invité toute ma famille et plusieurs de mes ___opains pour l'occasion. J'ai l'intention de leur montrer à quel point je peux être un joueur ___améléon. En effet, je peux être très ___alme et réfléchi durant certaines parties amicales, mais je peux être redoutable lorsque je sens que mon équipe perd le contrôle. Par contre, je ne suis pas de ___eux qui déclenchent des ba___arres pour un rien. Je préfère garder mon éner___ie afin d'améliorer mon jeu.

5. Voici une courte liste de mots utilisés dans les exercices de cet ouvrage et dont l'apprentissage est recommandé en 5e année. Cependant, deux erreurs se sont glissées dans cette liste. Encercle les deux mots fautifs !

barière	grimace
ambulence	menton
chaussette	insecte

L'orthographe des mots

Dans les prochains exercices, nous allons nous amuser avec l'orthographe de mots que tu connais peut-être ou que tu pourras ajouter à ton dictionnaire personnel. Prête bien attention à tes réponses, car celles-ci t'aideront dans la dictée un peu plus loin.

1. Dans les énoncés suivants, encercle le mot qui présente la bonne orthographe. Tu peux t'aider du dictionnaire en cas de besoin.

a) L'(énairgie, énerjie, énergie) est palpable dans le vestiaire ; les joueurs semblent prêts.

b) En raison d'une grave (blaissure, blesure, blessure), Thomas devra suivre les recommandations de son physiothérapeute afin de se rétablir.

c) Des mots de (félicitations, félicitation, félicitasion) arrivent de partout grâce à notre victoire.

d) On arrive à lire la (décepsion, déception, désseption) sur le visage de l'entraîneur de l'équipe perdante.

e) Le tournoi sera probablement annulé puisqu'on annonce une (tempaite, tempête, tempète) dans les prochains jours.

f) Une perte d'(équélibre, équi-libre, équilibre) est à l'origine de la chute impressionnante de cet homme.

g) La course d'aviron est sur le point de commencer et l'(équippage, équipage, ékipage) est complet à la ligne de départ.

h) L'(honneure, honeur, honneur) de mon frère sera défendu dans cette compétition.

2. À ton tour maintenant de trouver de nouveaux mots ! Associe chaque définition proposée dans la colonne de gauche à un des mots de la colonne de droite. Si certains de ces mots ne te sont pas familiers, utilise le dictionnaire.

a) Deux forces qui s'opposent peuvent en présenter.	1. Acclamation
b) Message formulé lorsqu'on s'oppose à quelque chose.	2. Réforme
c) Applaudissements, cris venant d'une foule ou d'un ensemble de personnes.	3. Prudence
d) Réaction de grande surprise.	4. Protestation
e) Changement à une situation ou à un élément déjà établi en espérant des améliorations.	5. Résistance
f) Ce que l'on peut voir, ce que l'on aperçoit.	6. Étonnement
g) Qualité qui aide à prévenir les accidents, à demeurer en sécurité.	7. Apparence

3. Vrai ou faux ? Encercle ton choix.

a) Nous utilisons deux types de chiffres en écriture : les chiffres arabes et les chiffres romains.	Vrai	Faux
b) Il n'existe que deux noms communs qui sont utilisés pour nommer une couleur (ex. : *orange*).	Vrai	Faux

Le water-polo

4. Dans ce court texte, encercle le mot correctement orthographié parmi les choix de réponses. N'oublie pas de vérifier les accords, s'il y a lieu, avant de confirmer ton choix.

Vous en avez assez des parties de hockey entre amis et vous êtes un amoureux de la baignade peu importe la (saisson, saizon, saison) ? Vous aimerez sans doute le water-polo, ce sport de longue date encore méconnu pour plusieurs personnes au Québec. Cette discipline olympique a cependant un bon nombre d'adeptes dans la (provinse, province, provinsse), et on compte plusieurs clubs, tant en milieu urbain qu'en milieu rural. Contrairement aux divers sports pratiqués dans notre environnement nordique, le water-polo se pratique à l'année et ne nécessite pas un grand investissement en équipement. Un maillot, des lunettes de (pisicne, piscine, picine) ainsi qu'un ballon sont en général suffisants pour participer à ce beau sport d'équipe. De plus, l'exercice effectué dans l'eau est reconnu pour être très exigeant physiquement, mais beaucoup moins dommageable pour les articulations ou le (corps, corp, cors) que certains sports que choisissent plus souvent les Québécois, comme la course à pied ou le vélo. Bref, il y a tant d'avantages à découvrir le water-polo !

Fais ton autoévaluation.

J'ai trouvé cette notion :

Encercle ton choix.

1	2	3	4	5	6	7	8	9	10

Facile — Difficile

5. Dans les énoncés suivants, encercle le mot qui présente la bonne orthographe. Tu peux t'aider du dictionnaire en cas de besoin.

a) L'équipe de soccer devra changer de (tactik, tactique, taquetic) si elle tient à la victoire.

b) Shany se plaît à dire qu'elle doit ajouter un (soupçon, soupeçon, soupson) de magie dans ses compétitions pour gagner.

c) On peut dire sans (exagérasion, exagération, hexagération) que Claudine est la meilleure dans ce sport.

d) Plusieurs athlètes sont remplis de (grattitude, gratitud, gratitude) envers leurs parents pour leurs nombreux sacrifices.

e) La (tampérature, températur, température) n'est pas clémente pour les skieurs.

f) Le sauveteur s'assure de la (profondeur, proffondeur, profondeure) de l'eau avant d'annoncer le départ.

g) Les adeptes de ce sport ont certainement une grande (soiffe, souaf, soif) d'adrénaline pour affronter un tel défi.

h) Souvent, le (succès, succais, suxsès) vient après plusieurs défaites.

i) J'ai réservé 10 places pour les membres de ma famille au (bant, band, banc) numéro 8.

j) L'arbitre demande un (arret, arrêt, arrèt) de la partie puisqu'un joueur semble blessé.

k) Le terrain de tennis se trouve au bout de l'(allé, allée, alée) centrale.

l) Cette partie ne comporte pas beaucoup d'(acttion, action, acsion).

6. À ton tour maintenant de trouver de nouveaux mots ! Associe chaque définition proposée dans la colonne de gauche à un des mots de la colonne de droite. Si certains de ces mots ne te sont pas familiers, utilise le dictionnaire.

a) Se caractérise par une impolitesse, un manque de respect.	1. Insolence
b) Discussion dans le but d'échanger des idées ou des opinions sur un sujet.	2. Légende
c) Un poids lourd à porter, une charge importante parfois invisible à l'œil.	3. Fardeau
d) Histoire racontée pendant plusieurs années et qui s'inspire de la réalité.	4. Débat
e) Se produit très tôt dans la matinée, lorsque le soleil se lève ; de couleur rosée.	5. Aurore

7. Vrai ou faux ? Encercle ton choix.

a) Il existe un code nommé *alphabet phonétique international* qui permet de transcrire et de lire tous les sons, peu importe la langue.	Vrai	Faux
b) Lorsqu'un mot est emprunté à la langue anglaise, on utilise le terme *anglicisme* pour le désigner.	Vrai	Faux

---

Fais ton autoévaluation.

J'ai trouvé cette notion :

Encercle ton choix.

1	2	3	4	5	6	7	8	9	10

Facile — Difficile

Ultimate Frisbee

8. Dans ce court texte, encercle le mot correctement orthographié parmi les choix de réponses. N'oublie pas de vérifier les accords, s'il y a lieu, avant de confirmer ton choix.

Les cours viennent de se terminer et je m'empresse de rejoindre ma sœur dans sa voiture pour arriver à l'heure à mon (cour, court, cours) de badminton. Dans le (stationnement, stationement, stationnemment) du centre sportif de ma ville, à mon arrivée, il y a déjà plusieurs voitures, et même une équipe de télévision. J'imagine qu'il se prépare quelque chose de spécial, mais j'ignore complètement de quoi il s'agit. Dans les (vestières, verstiairs, vestiaires), tout semble comme à l'habitude. Une fois changée, je me dirige vers le (gymnase, gimnase, gymmnase), et c'est à cet endroit qu'une foule bloque l'entrée. Je me fraie un chemin jusqu'à mon terrain de badminton et je constate enfin ce qui attire tout le monde. Une équipe d'*ultimate Frisbee* est en pleine action. Il est vrai que c'est impressionnant de voir ces athlètes se lancer dans les airs afin d'attraper le disque. Plusieurs sauts, (plonjons, plongons, plongeons) et autres cascades sont au rendez-vous, à la grande joie des journalistes !

Lettre muette en fin de mot

Certains mots de la langue française s'écrivent avec une lettre muette (ex. : *d, t, e, c, z, x, s*) en fin de mot, mais cela ne suit pas de règle précise. Dans les prochains exercices, vérifie si tu sais les reconnaître. Utilise le dictionnaire si nécessaire. Et n'hésite pas à transcrire les mots que tu juges utiles dans ton dictionnaire personnel, que tu pourras consulter en cas de besoin.

1. Dans la liste ci-dessous, encercle les 8 mots qui ne devraient pas se terminer par une lettre muette.

beaucoup	profit	flocond
creux	humaint	habitat
estomac	patint	cas
mignond	roux	rond
carréd	éclaird	membre
retard	climat	blond
luisant	lunette	champ
loup	transport	talent
mettre	océand	cas
plomb	fêter	primaire
tôt	vilaint	vice

2. À ton tour maintenant de trouver de nouveaux mots qui se terminent par une lettre muette ! À l'aide des indices présentés dans la colonne de gauche, replace les lettres du mot mystère de la colonne de droite. Au besoin, vérifie l'orthographe dans le dictionnaire.

a) Tu ne m'as pas entendu, es-tu s________ ?	rdou
b) Ce réfrigérateur ne garde pas les aliments au f________.	dior
c) J'ai acheté un nouveau t________ pour l'entrée.	pias
d) Plusieurs c________ de salades peuvent accompagner cette viande.	xhio
e) Je vais me retrouver dans de beaux d________.	pras
f) J'ai reçu un a________ concernant ta nomination.	vsi

3. Vrai ou faux ? Encercle ton choix.

a) Certains mots se terminant par une lettre muette gagnent à être mis au féminin pour confirmer quelle est cette lettre. Par exemple, le féminin de *blond* est *blonde*, ce qui confirme le *d* muet de *blond*.	Vrai	Faux

Le *Kin-Ball*

4. Dans ce texte, encercle, parmi les choix proposés, les mots bien orthographiés. Tu peux consulter le dictionnaire en cas de besoin.

Ce matin, Alexandre, notre enseignant d'éducation physique, arrive au gymnase avec un large sourire. Il semble nous préparer une surprise ; il nous demande de nous rassembler autour de lui. Lorsque tous les élèves sont bien assis, Alexandre recule et revient avec un ballon qui semble plus grand que moi ! Malgré la (hauteure, hauteur, auteure) impressionnante du ballon, notre enseignant n'a aucune difficulté à le lever au bout de ses bras. Il le lance vers Mathilde, une fille de ma classe. Cette dernière est étonnée mais réussit (malgré, malgrée, malgrés) tout à l'attraper. Le groupe l'applaudit, et chacun désire maintenant jouer. Après quelques minutes passées à se lancer ce ballon (jéan, géan, géant), Alexandre nous explique certains règlements du sport que nous allons pratiquer ensemble : le Kin-Ball. J'ai réellement hâte de jouer une (parti, partie, partit), mais je doute que je puisse m'exercer à la maison !

Fais ton autoévaluation.

J'ai trouvé cette notion :

Encercle ton choix.

1	2	3	4	5	6	7	8	9	10

Facile — Difficile

La construction

À travers ce thème, tu pourras mettre en pratique tes connaissances en *conjugaison*.

Bonnes découvertes !

L'infinitif du verbe

Les verbes sont des mots qui expriment une action. Lorsque l'on parle du mode infinitif, on fait référence au verbe qui n'est pas conjugué. Afin de t'en souvenir, imagine-toi en train de chercher un verbe dans un outil de grammaire. Celui que tu trouveras dans la table des matières sera à l'infinitif (ex. : *baisser, contrôler, citer*).

1. Écris l'infinitif du verbe souligné dans les phrases suivantes.

a) Le contremaître a hésité (______________) longtemps avant de commencer les travaux.

b) Louisa semble (______________) nerveuse à l'idée de se présenter à l'équipe.

c) Le chantier est presque vide et Étienne range (______________) ses outils.

d) La structure de cette maison sera (______________) terminée demain.

e) Un inspecteur viendra (______________) examiner les travaux dans la journée.

f) Le peintre s'est blessé et nous recommande (______________) son collègue pour terminer son travail.

g) Cet homme porte (______________) plusieurs outils dans un sac à l'épaule.

h) Une soumission est remise aux propriétaires qui désirent (______________) rénover leur nouvelle propriété.

i) Cette poutre a été allongée (______________) afin de supporter le poids de la maison.

j) Benoit reçoit (______________) la facture de l'électricien et reste bouche bée.

2. Associe les verbes à l'infinitif listés dans la colonne de gauche aux phrases proposées dans la colonne de droite. Plusieurs réponses sont possibles et chaque verbe peut être choisi plus d'une fois.

a) connaître	Les entrepreneurs doivent ___________ aux différentes possibilités.
b) fondre	Nous devons d'abord ___________ la demande de permis de construction.
c) envoyer	Vous devez absolument ___________ le montant total.
d) soulever	Il sera difficile de ___________ cette pierre à deux.
e) réfléchir	Afin d'empêcher cette pièce de plastique de ___________, nous devons l'isoler.

3. Vrai ou faux? Encercle ton choix.

a) Certains verbes de la langue française n'ont pas de forme infinitive.	Vrai	Faux
b) Le verbe à la forme infinitive n'a pas toujours la même racine que ce même verbe conjugué.	Vrai	Faux

Fais ton autoévaluation.

J'ai trouvé cette notion :

Encercle ton choix.	1	2	3	4	5	6	7	8	9	10
	Facile									Difficile

Profession inhabituelle

4. Choisis l'infinitif du verbe souligné parmi ceux proposés entre parenthèses. Encercle ta réponse. Tu peux t'aider d'un outil de grammaire (ex. : *Bescherelle*).

Je me nomme Myriam et j'ai deux enfants. Je travaille depuis plusieurs années dans un domaine que j'adore et qui me passionne. Plusieurs personnes se disent surprises par la nature de mon travail, et il est vrai que nous ne sommes (avoir, être, sommer) que très peu de femmes à occuper ce poste. Nous avons besoin de plusieurs habiletés spécifiques avant d'entreprendre notre formation professionnelle. Nous devons (doit, devoir, devancer) avoir un certain intérêt pour les mathématiques, les sciences et l'électricité. Nous ne pouvons souffrir de vertige ou encore d'étourdissements, car notre travail peut être dangereux si un accident survient (survivre, survenir, suivre). Vous avez deviné quel est le titre de mon emploi ? Je suis grutière ! La prochaine fois que vous irez (voir, prendre, aller) près d'un chantier, regardez en haut, vous m'apercevrez peut-être dans ma grue.

5. Voici une courte liste de mots utilisés dans les exercices de cet ouvrage et dont l'apprentissage est recommandé en 5e année. Afin de bâtir ton propre dictionnaire, inscris-les en ordre alphabétique dans un cahier.

art	dialogue
clinique	musée
cité	gueule
corridor	liberté
dangereux	miracle

Le verbe *aimer* (1er groupe)

Afin de faciliter ton apprentissage des verbes conjugués, on utilise des regroupements qui t'aideront à mémoriser les terminaisons. Par exemple, le verbe *aimer* est utilisé comme modèle pour la conjugaison de la majorité des verbes qui se terminent par *er*. Pour faire les prochains exercices, n'hésite pas à consulter ton *Bescherelle* au verbe *aimer*.

1. Encercle le verbe conjugué correctement parmi les choix proposés entre parenthèses. N'oublie pas de vérifier quel est le sujet du verbe en question.

a) Le plombier et son équipe (achète, achètent, achetons) toutes les pièces nécessaires.

b) La pause a été écourtée, alors Léa (goûte, goûtes, goûtent) à peine son muffin.

c) Je connais Marc depuis quelques semaines, nous (avons étudier, avons étudié, avons étudiés) ensemble.

d) Les locataires (approuve, approuvent, approuvant) le choix de couleurs.

e) Ces ouvriers doivent s'arrêter quelques minutes. Ils se (reposera, reposeront, reposerons) de leur journée.

f) Vous (gagnez, gagniez, gagnent) souvent à ce concours depuis deux mois.

g) Puisque nous avons modifié quelques éléments de décoration, nous (trouverons, trouvera, trouvons) de nouveaux meubles pour s'agencer au tout.

h) Dans quelques jours, je me (marie, marierais, marierai) avec l'homme que j'aime dans cette nouvelle église.

i) Il a (intégrer, intégré, intègre) cette facture au dossier de rénovation.

2. À ton tour maintenant de trouver de nouveaux verbes ! Associe chaque énoncé à un verbe de la colonne de droite qui se termine par *er* (1er groupe). Plusieurs réponses sont possibles.

a) Nous devons ____________ davantage ces vis.	économiser
b) Cet ingénieur doit s'absenter quelques jours pour ____________ les nouveaux plans.	étudier
c) Souvent, les clients de notre compagnie doivent ____________ plusieurs années avant d'acheter leur propriété.	serrer
d) Nous allons ____________ le coin de cette toile.	essayer
e) Après une longue discussion avec eux, je vais ____________ de modifier les plans initiaux.	plier

3. Vrai ou faux ? Encercle ton choix.

a) Le 1er groupe est un temps de verbe au même titre que le passé composé ou le futur simple.	Vrai	Faux
b) Tous les verbes du 1er groupe se terminent par *er* ou par *re*.	Vrai	Faux

---

Fais ton autoévaluation.

J'ai trouvé cette notion :

Encercle ton choix.

1	2	3	4	5	6	7	8	9	10

Facile — Difficile

Projet de rêve

4. Choisis, parmi les mots entre parenthèses, celui qui est bien orthographié. N'oublie pas de lire la phrase en entier afin de valider ta réponse et de l'accorder correctement.

Depuis de nombreuses années, j'(épargnent, épargna, épargne) près de la moitié de mes revenus afin de pouvoir m'acheter mon condo de rêve. Enfin, j'y suis parvenue. Je (ailles, vait, vais) donc effectuer un premier versement aujourd'hui afin de réserver ma place dans ce nouveau domaine. En (arivant, arrivent, arrivant) dans l'entrée principale, je crois rêver ! À gauche, on peut apercevoir des résidents qui nagent dans la piscine intérieure chauffée. À droite, un centre d'entraînement ainsi qu'un petit bistro sont à la disposition des propriétaires. Je me sens comme dans un château, mais un peu plus moderne que dans mes contes préférés. Malgré tout ce confort et cette beauté, une seule chose m'a réellement convaincue de déménager dans cette tour d'habitation : les chiens y sont permis et même souhaités ! Jamais je ne pourrai me séparer de Patch, ce gros nounours qui (risquent, risquons, risque) d'apprécier ses nouveaux voisins canins !

5. Voici une courte liste de mots utilisés dans les exercices de cet ouvrage et dont l'apprentissage est recommandé en 5e année. Cependant, deux erreurs se sont glissées dans cette liste. Encercle les deux mots fautifs !

billet	orgueil
fumée	boulevart
paumme	pauvreté

Le verbe *finir* (2e groupe)

Afin de faciliter ton apprentissage des verbes conjugués, on utilise des regroupements qui t'aideront à mémoriser les terminaisons. Par exemple, le verbe *finir* est utilisé comme modèle pour la conjugaison de la majorité des verbes qui se terminent par *ir*. Pour faire les prochains exercices, n'hésite pas à consulter ton *Bescherelle* au verbe *finir*.

1. Encercle le verbe conjugué correctement parmi les choix proposés entre parenthèses. N'oublie pas de vérifier quel est le sujet du verbe en question.

a) À l'époque, les ouvriers (accomplisait, accomplisaient, accomplissaient) le même travail avec beaucoup moins d'outils spécialisés.

b) Ces murs (jaunissant, jaunissons, jaunissent) à vue d'œil, puisqu'ils sont exposés à la fumée.

c) Plus jeunes, nous (désobéons, désobéissions, désobéissons) rarement à nos parents.

d) Je vous (avertiserai, avertiseras, avertirai) lorsque je verrai arriver l'acheteur.

e) Tu (définit, défini, définis) cet homme uniquement par ses réalisations et ses acquis.

f) Les travaux pourront reprendre, le ciel s'(éclairsit, éclaircis, éclaircit).

g) Je (garni, garnis, garnit) mon sandwich de plusieurs viandes et légumes.

h) Peux-tu m'apporter l'embout en argent que nous avons (poli, polli, polis) ?

i) Cette aventure nous a tous blessés profondément. Nous (guérirons, guériras, guérisserons) ensemble en nous soutenant.

2. À ton tour maintenant de trouver de nouveaux verbes ! Associe chaque énoncé à un verbe de la colonne de droite qui se termine par *ir* (2e groupe). Plusieurs réponses sont possibles.

a) Cet avion ne devrait pas _____________ ici.	adoucir
b) Ce matelas devrait _____________ sa chute et le protéger d'éventuelles blessures.	bannir
c) Je l'ai vu _____________ sa canne. Il semblait très agité et en colère.	atterrir
d) Le conseil d'administration a l'intention de _____________ les gros chiens de l'immeuble.	amortir
e) Ce produit fait des miracles avec les pieds et permet d'_____________ la peau.	brandir

3. Vrai ou faux ? Encercle ton choix.

a) Les verbes en *ir* font partie du 2e des 10 groupes de verbes de la langue française.	Vrai	Faux
b) Parfois, les verbes du 2e groupe se terminent par *ire* ou *ires* à l'infinitif.	Vrai	Faux

Fais ton autoévaluation.

J'ai trouvé cette notion :

Encercle ton choix.

1	2	3	4	5	6	7	8	9	10

Facile — Difficile

Partage d'expériences

4. Choisis, parmi les verbes entre parenthèses, celui qui est bien orthographié. N'oublie pas de lire la phrase en entier afin de valider ta réponse et de l'accorder correctement.

Le bureau de ma mère reçoit aujourd'hui de la grande visite. En effet, ils ont invité un expert (provenissant, provenant, provient) de Londres afin qu'il partage ses connaissances sur la construction d'un nouveau pont. Monsieur Andrew a contribué à l'élaboration des plans de plusieurs grands ponts du monde, et il a accepté de (viens, vient, venir) rencontrer les collègues de ma mère afin de leur donner de précieux conseils. Maman a décidé d'accompagner son invité dans le centre-ville de Montréal afin de lui faire voir un petit coin de notre grand pays. Selon ce qu'elle m'a raconté, M. Andrew a semblé envoûté par l'architecture et la belle diversité des constructions montréalaises. Comme quoi tout le monde est gagnant lorsqu'il (s'agit, s'agis, s'agissent) de partager ses savoirs et ses réalisations.

5. Voici une courte liste de mots utilisés dans les exercices de cet ouvrage et dont l'apprentissage est recommandé en 5e année. Cependant, deux erreurs se sont glissées dans cette liste. Encercle les deux mots fautifs !

paysage	serrure
soife	rant
siècle	température

L'indicatif passé composé

Le temps de verbe *passé composé de l'indicatif* sert à décrire quelque chose qui s'est passé il y a plus ou moins longtemps. L'action n'est donc plus en cours. Le passé composé d'un verbe est formé d'un auxiliaire (*avoir* ou *être*) et du participe passé du verbe en question. Par exemple, le passé composé du verbe *manger* à la première personne du singulier est *J'ai mangé.* N'oublie pas : il faut faire l'accord de l'auxiliaire avec le sujet.

1. Encercle le verbe correctement conjugué au *passé composé de l'indicatif* parmi les choix proposés entre parenthèses. N'oublie pas de vérifier quel est le sujet du verbe en question.

a) Vous (avée touché, avez touché, avons touché) à cet interrupteur.

b) Les entrepreneurs précédents (avions détruit, avaient détruit, ont détruit) cette partie de l'immeuble.

c) Lors de mon dernier contrat comme designer, j'(eus cousu, ai cousu, avait cousu) moi-même les rideaux.

d) Vous devez recommencer votre travail. Vous (avons teint, avais teint, avez teint) la terrasse de la mauvaise couleur.

e) Le travail était impeccable. Il (a balayé, ont balayé, as balayé) le studio au complet avant de partir.

f) Nous allons pouvoir passer à autre chose. Le fraudeur (avoue, avouait, a avoué) sa culpabilité.

g) Ce document nous (file, a filé, filera) entre les doigts.

h) Vous vous (sentez, aurez senti, êtes sentis) coupables dans toute cette épreuve.

2. Associe les verbes à l'infinitif listés dans la colonne de gauche aux phrases proposées dans la colonne de droite. N'oublie pas de bien les conjuguer au passé composé de l'indicatif.

a) dorloter	Cette femme de carrière ____________ longtemps ses employés.
b) lire	Ce nouvel employé ____________ jusqu'à très tard hier soir.
c) ruiner	Ce sont les coûts importants de chauffage qui ____________ l'entreprise.
d) appeler	Tous les gestionnaires ____________ les nouvelles directives à appliquer.
e) étudier	Ils ____________ l'urgence tout de suite après cet accident.

3. Vrai ou faux ? Encercle ton choix.

a) Dans les verbes conjugués au passé composé, l'auxiliaire garde sa forme infinitive et seul le verbe est conjugué.	Vrai	Faux
b) Le passé composé de l'indicatif est utilisé seulement pour décrire des actions qui sont terminées.	Vrai	Faux

---

Fais ton autoévaluation.

J'ai trouvé cette notion :

Encercle ton choix.

1	2	3	4	5	6	7	8	9	10

Facile — Difficile

Célébrités et hockey

4. Choisis, parmi les verbes entre parenthèses, celui qui est bien orthographié. N'oublie pas de lire la phrase en entier afin de valider ta réponse et de l'accorder correctement au passé composé.

Hier, en fin de journée, un de mes rêves s'est réalisé. Grâce à mon cousin Laurent, j'(ai, avais, ai eu) un accès privilégié au lieu de construction du futur amphithéâtre de ma ville. Laurent travaille comme architecte dans ce projet et il m'(avait fait, a fait, faisait) visiter certains endroits qui ne seront jamais accessibles au public. Nous (avons vu, avais vu, ai vu) les loges des célébrités en visite, les vestiaires de mes équipes de hockey préférées et même les bureaux des grands directeurs de l'endroit. Finalement, j'(ai pouvu, ai pu, ai pus) faire mon empreinte de main dans le ciment fraîchement coulé d'un trottoir à l'avant de l'amphithéâtre. Mon cousin (travaille, travailla, a travaillé) très fort pour obtenir ce poste, et je crois qu'il s'agit du plus beau défi de sa carrière.

5. Voici une courte liste de mots utilisés dans les exercices de cet ouvrage et dont l'apprentissage est recommandé en 5e année. Afin de bâtir ton propre dictionnaire, inscris-les en ordre alphabétique dans un cahier.

facture	collection
bataille	couteau
avenir	légende
médicament	manœuvre

L'indicatif futur simple

Le temps de verbe *futur simple de l'indicatif* est utilisé lorsqu'on décrit quelque chose qui va arriver dans le futur. Les terminaisons qui y sont associées sont *rai, ras, ra, rons, rez, ront.* On utilise le futur simple dans différents contextes, à l'écrit.

1. Encercle le verbe correctement conjugué au *futur simple de l'indicatif* parmi les choix proposés entre parenthèses. N'oublie pas de vérifier quel est le sujet du verbe en question.

a) Nous (couchons, couchent, coucherons) les enfants juste avant votre arrivée.

b) Lors de sa visite, tu (as exigé, exigeras, exigea) sa carte d'identité.

c) Avant de fermer les murs de cette section, nous les (isolerons, isoleront, isolera).

d) Je (joignerai, joindrai, joindrais) M. Savard avant de signer ces documents.

e) Ces grandes toiles (protégera, protégea, protégeront) les planchers.

f) Il vous (a plu, plaira, plaisera) d'apprendre que je m'ajouterai à l'équipe.

g) Le nom de ce projet (rima, rimera, a rimé) avec votre propre nom.

h) Les acheteurs et les promoteurs (raffoleront, raffolont, ont raffolé) du concept.

i) Bien entendu, les deux détaillants (tirent, tireront, tiront) profit de cet investissement.

j) Nous (triront, trierons, trirons) les candidatures selon l'expérience des individus.

k) Vous (versez, verserez, a versé) cette somme quelques jours avant la date prescrite.

2. Associe les verbes à l'infinitif listés dans la colonne de gauche aux phrases (énoncés) proposées dans la colonne de droite. N'oublie pas de bien les conjuguer au futur simple de l'indicatif.

a) hésiter	Ces nouvelles couleurs ____________ le décor.
b) brosser	Le personnel d'entretien ____________ ces tuiles.
c) actualiser	Ces jeunes enfants ____________ avec ce carton.
d) bricoler	Le propriétaire __________ cet arbre qui semble dangereux.
e) abattre	Vous ____________ probablement entre ces deux maisons.

3. Vrai ou faux? Encercle ton choix.

a) Dans certains cas, un *e* muet se glisse au début de la terminaison verbale lorsque le verbe est conjugué au futur simple.	Vrai	Faux
b) Quelques verbes conjugués au futur simple s'écrivent avec deux *r* au lieu d'un seul.	Vrai	Faux

---

Fais ton autoévaluation.

J'ai trouvé cette notion :

Encercle ton choix.

1	2	3	4	5	6	7	8	9	10

Facile — Difficile

Un voleur bien outillé

4. Choisis, parmi les verbes entre parenthèses, celui qui est bien orthographié. N'oublie pas de lire la phrase en entier afin de valider ta réponse et de l'accorder correctement.

Sur ma route vers l'école, un policier m'arrête et me demande si j'étais dans les environs au cours des trente dernières minutes. Un peu nerveux, je réponds que oui, puisque j'étais à la boutique de jeux vidéo située juste en face. Le policier me demande donc d'attendre là et m'explique ce qui se (passe, passeras, passera) pour moi. Puisqu'il y a eu un important vol d'outils sur le chantier tout près, des enquêteurs (vont venir, viendront, viendrons) me poser quelques questions. Puis, je (dois, devrais, devrai) me rendre au poste de police pour remplir une déposition officielle. Finalement, quelques agents (téléphonent, téléphonera, téléphoneront) chez moi durant la semaine afin de faire un suivi, selon les nouvelles informations. Disons que mes plans pour la semaine (changera, changeront, ont changé) certainement et que ma mère (devra, doit, devras) autoriser mon absence à quelques cours, vu ces circonstances exceptionnelles.

5. Voici une courte liste de mots utilisés dans les exercices de cet ouvrage et dont l'apprentissage est recommandé en 5e année. Cependant, deux erreurs se sont glissées dans cette liste. Encercle les deux mots fautifs !

aplication	complice
crane	ministre
individu	exploit

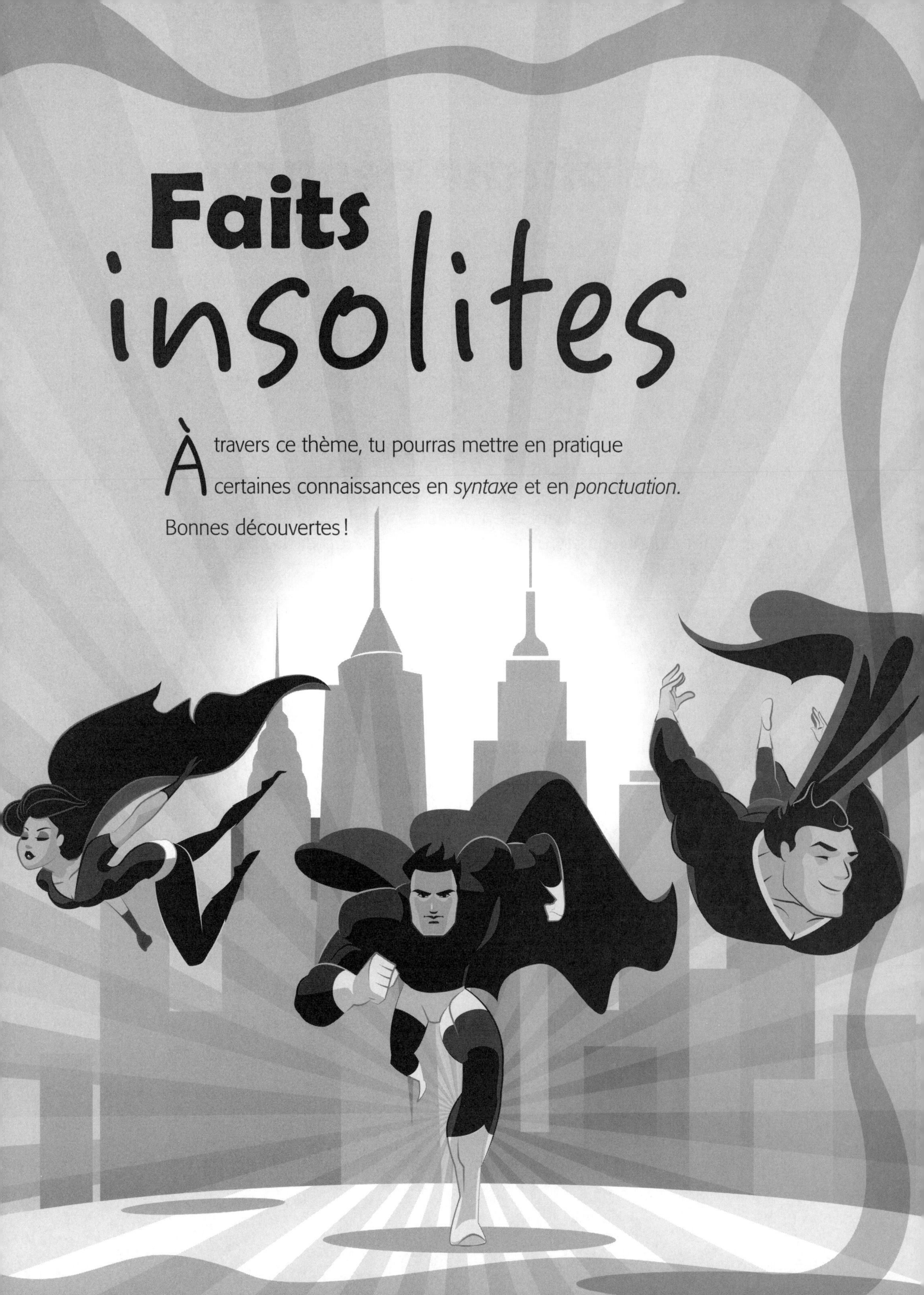

Faits insolites

À travers ce thème, tu pourras mettre en pratique certaines connaissances en *syntaxe* et en *ponctuation*.

Bonnes découvertes !

La phrase négative

La phrase de base est positive et sert à affirmer quelque chose. À l'opposé, une phrase négative peut être utilisée afin d'interdire quelque chose ou de refuser un énoncé. Par exemple, on peut dire *Nous ne devons pas oublier nos devoirs.* On a ajouté *ne... pas* à la phrase de base *Nous devons oublier nos devoirs* afin de la rendre négative.

1. Ajoute les éléments de négation qui conviennent le mieux afin de transformer les phrases positives suivantes en phrases négatives. Choisis parmi les propositions dans l'encadré ci-dessous. Tu peux reprendre plus d'une fois le même élément.

ne pas	ne rien	n' pas	ne plus	ne personne
n' jamais	ne jamais	ne nullement	n' nullement	

a) Tu ________ pourras ________ cacher ce talent bien longtemps.

b) Il ________ a ________ été capable d'exécuter ce saut incroyable.

c) Ce bandeau ________ cache ________ sa vue.

d) Tu ________ dois ________ imiter ce que tu vois à la maison.

e) Vous ______ pouvez _______ me raconter ce qui s'est passé dans cette salle.

f) Ils ________ ont ________ le droit de vous imposer une telle corvée.

g) Son pied est tellement gros qu'il ________ peut ________ marcher.

h) Elle ________ aura ________ à rendre des comptes à ce menteur.

2. Les énoncés ci-dessous sont des types de phrases mélangés. À l'aide des informations de la page précédente, détermine lesquels sont des phrases négatives et encercle-les.

a) Tu n'en croiras pas tes yeux.

b) De quelle couleur sont ses bâtons?

c) Hélas! Le numéro n'a pu être terminé.

d) Il n'y a pas de montage dans cette vidéo spectaculaire.

e) Les héros des histoires présentées au cinéma ne sont pas tous des exemples à suivre.

f) Cette force musculaire ne semble aucunement naturelle.

g) Ce chercheur de têtes écoute attentivement le musicien qui épate la galerie.

3. Vrai ou faux? Encercle ton choix.

a) Les phrases négatives sont principalement utilisées afin de démontrer son désaccord avec une affirmation. Vrai Faux

b) La même phrase ne peut pas être à la fois positive et négative. Vrai Faux

Fais ton autoévaluation.

J'ai trouvé cette notion :

Encercle ton choix.	1	2	3	4	5	6	7	8	9	10

Facile — Difficile

Un lapin bien coiffé

4. Dans le texte suivant, repère les bonnes indications afin de dessiner correctement le fait insolite décrit. Attention, les seules consignes à respecter sont cachées dans les phrases négatives, les autres informations ne doivent pas être suivies ! Pour t'aider à t'organiser, souligne d'abord les phrases négatives dans le texte et fais ton dessin par la suite !

Un nouveau record animalier a été ajouté à un palmarès bien connu. Il s'agit d'un lapin avec de gros yeux qui possède également une cinquième patte. Sa chevelure impressionnante n'atteint pas tout à fait les 37 cm de longueur. Il demeure actuellement aux États-Unis avec sa propriétaire, Betty. Tout ce poil fait que le lapin ne voit pas bien devant lui, puisque plusieurs mèches tombent vers l'avant. Il ne peut donc aucunement voir la carotte qui l'attend à sa droite. Pauvre petite boule de poils !

Maintenant, dessine ce dont parle ce fait insolite ! N'oublie pas de garder seulement les phrases négatives du texte pour créer ton dessin !

Dessin

Un lapin bien coiffé à ta façon

5. À ton tour de laisser aller ton imagination. À l'aide du texte troué qui décrit un fait insolite, complète les phrases avec tes idées. N'oublie pas que pour ton dessin, tu ne dois représenter que les éléments des phrases négatives. Amuse-toi à comparer tes deux dessins lorsque tu auras terminé ta description !

Un nouveau record animalier a été ajouté à un palmarès bien connu. Il s'agit d'un lapin avec de ______________ qui possède également une ______________. Sa ______________ impressionnante n'atteint pas tout à fait les 37 cm de longueur. Il demeure actuellement ______________ avec sa propriétaire, Betty. Tout ce ______________ fait que le lapin ne voit pas bien devant lui, puisque plusieurs ______________ tombent vers l'avant. Il ne peut donc aucunement voir ______________ qui l'attend à sa droite. Pauvre petite boule de poils !

Maintenant, dessine ton nouveau personnage ! N'oublie pas de garder seulement les phrases négatives du texte pour créer ton dessin !

Dessin

La phrase interrogative

La phrase de base est positive et sert à affirmer quelque chose. La phrase interrogative, quant à elle, peut être utilisée afin de s'interroger sur quelque chose, de poser une question. Par exemple, on peut formuler la question *Avez-vous de la monnaie?* On a inversé le sujet et le verbe de la phrase de base *Vous avez de la monnaie* afin de lui donner la forme interrogative. On peut également utiliser des mots interrogatifs en début de phrase comme *comment, combien, quel, qui*… N'oublie pas le point d'interrogation à la fin de la phrase!

1. Fais de chaque phrase une phrase interrogative en y ajoutant l'élément d'interrogation qui convient le mieux. Dans certains cas, plusieurs réponses sont possibles.

Combien	Que	Où	Quand	Avec qui
Est-ce que	Qui	Pourquoi	Comment	

a) ________ avez-vous pu vous exercer au quotidien?

b) ________ avez-vous découvert cette passion hors du commun?

c) ________ n'avez-vous commencé vos représentations qu'à 18 ans?

d) ________ vous êtes la seule femme capable d'un tel exploit?

e) ________ avez-vous trouvé ce chat étrange?

f) ________ vous inspire le plus dans votre domaine?

g) ________ tu crois que certains individus naissent avec un don naturel?

h) ________ d'heures par semaine vous exercez-vous?

2. Les énoncés ci-dessous sont des types de phrases mélangés. À l'aide des informations de la page précédente, détermine lesquels sont des phrases interrogatives et encercle-les.

a) À qui la chance de remporter ce concours?

b) Je ne me suis pas sentie très bien durant ce numéro.

c) As-tu vu le nombre de livres que cet homme peut soulever?

d) Pourra-t-elle s'en remettre?

e) Imagine un peu la peine qu'elle doit avoir!

f) Si on peut tous l'essayer, seules quelques personnes y parviendront.

g) Attention à la marche!

h) Qui est derrière ce décor?

3. Vrai ou faux? Encercle ton choix.

a) Il y a plus d'une dizaine de mots interrogatifs qui peuvent être utilisés dans une phrase interrogative. Vrai Faux

b) Une phrase interrogative peut parfois se terminer par un point d'exclamation. Vrai Faux

Fais ton autoévaluation.

J'ai trouvé cette notion :

Encercle ton choix.

1	2	3	4	5	6	7	8	9	10

Facile Difficile

Prêt, pas prêt, on saute !

4. Dans le texte suivant, repère les bonnes indications données afin de dessiner correctement le fait insolite décrit. Attention, les seules consignes à respecter sont cachées dans les phrases interrogatives, les autres informations ne doivent pas être suivies ! Pour t'aider à t'organiser, souligne toutes les phrases interrogatives dans le texte et fais ton dessin par la suite !

Le nom de Donald Cripps vous dit-il quelque chose ? C'est l'homme qui détient le record de la personne la plus âgée à avoir sauté en parachute ! Saviez-vous qu'il avait plus de 84 ans au moment de cette aventure ? Qui pourrait croire qu'il a sauté d'une hauteur de 276 mètres ? Moi, je veux bien ! En plus, lors de son saut, il portait une chèvre sur ses épaules ! Est-ce que vous pouvez imaginer la vue des montagnes et des arbres au loin ? Ce devait être magnifique, comme paysage. Croyez-vous qu'il a pu l'apprécier malgré ses culbutes pendant son saut ? Je ne le sais pas, mais j'imagine qu'il en garde un précieux souvenir malgré la vitesse atteinte durant cette expérience de vie sans pareille !

Maintenant, dessine ce fait insolite ! N'oublie pas de garder seulement les phrases interrogatives du texte pour créer ton image !

Dessin

Prêt pas prêt, on saute à ta façon

5. À ton tour de laisser aller ton imagination. À l'aide du texte troué qui décrit le fait, complète les phrases avec tes idées. N'oublie pas que pour ton dessin, tu ne dois ajouter que les éléments présents dans les phrases interrogatives. Amuse-toi à comparer les deux dessins lorsque tu auras complété ta description !

Le nom de __________ vous dit-il quelque chose ? C'est l'homme qui détient le record de la personne la plus âgée à avoir sauté en parachute ! Saviez-vous qu'il avait plus de __________ au moment de cette aventure ? Qui pourrait croire qu'il a sauté d'une hauteur de __________ mètres ? Moi, je veux bien ! En plus, lors de son saut, il portait ____________ sur ses épaules ! Est-ce que vous pouvez imaginer la vue de __________________ au loin ? Ce devait être magnifique, comme paysage. Croyez-vous qu'il a pu l'apprécier malgré ses culbutes pendant son saut en _____________ ? Je ne le sais pas, mais j'imagine qu'il en garde un précieux souvenir malgré la vitesse atteinte durant cette expérience de vie sans pareil !

Maintenant, dessine le fait insolite à ta façon ! N'oublie pas de garder seulement les phrases interrogatives du texte pour créer ton dessin !

Dessin

La phrase impérative

La phrase de base est positive et sert à affirmer quelque chose. La phrase impérative, quant à elle, peut être utilisée afin de donner un ordre ou un conseil. Par exemple, on peut dire Éteins ton téléphone. On a mis le verbe de la phrase de base (*Tu éteins ton téléphone*) au mode impératif et enlevé le sujet grammatical, qu'on déduit alors par la finale du verbe. Un point d'exclamation peut être utilisé en fin de phrase, mais il n'est pas obligatoire.

1. Complète les phrases impératives suivantes en y ajoutant le verbe bien conjugué parmi les choix de réponses. Tu peux consulter le *Bescherelle* ou un autre outil de conjugaison pour t'aider.

a) _________ (Manges, Mange, Mangez) ton repas avant qu'il ne soit trop tard.

b) _________ (Ouvrir, Ouvres, Ouvre) ton cahier avant de faire cette activité.

c) _________ (Courer, Courrez, Courez) la chance de participer au tournage !

d) _________ (Inscrivez, Inscris, Inscrit)-toi au groupe pour débutants.

e) _________ (Va, Vais, Allez) chercher ton ordinateur pour prendre des notes !

f) _________ (Chantons, Chanter, Chantent) la chanson du numéro d'ouverture.

g) _________ (Voyont, Voyon, Voyons) ce que je peux faire pour vous aider !

h) _________ (Trouves, Trouverons, Trouvons) la solution à ce problème.

i) _________ (Fini, Finissez, Finit) votre collation avant de quitter la pièce.

j) _________ (Grandis, Grandir, Grandit) un peu !

k) _________ (Arrêtez, Arrete, Arrête) ton cinéma !

2. Les énoncés ci-dessous sont des types de phrases mélangés. À l'aide des informations de la page précédente, détermine lesquels sont des phrases impératives et encercle-les.

a) Lis un livre en attendant.

b) Dis-moi quelque chose de drôle.

c) C'est elle qui l'a !

d) Croyez-vous en ce type de magie ?

e) Il ne faut pas se laisser berner.

f) Si le ciel s'assombrit, le spectacle ne pourra pas avoir lieu.

g) Je dois rester à la maison avec mon chat malade.

h) Arrêtons d'y penser !

3. Vrai ou faux ? Encercle ton choix.

a) Le point d'exclamation en fin de phrase met l'accent principalement sur le mot qui le précède. Vrai Faux

b) C'est à l'auteur du texte de décider s'il doit mettre ou non des points d'exclamation. Vrai Faux

---

Fais ton autoévaluation.

J'ai trouvé cette notion :

Encercle ton choix.

1	2	3	4	5	6	7	8	9	10

Facile Difficile

Petit format

4. Dans le texte suivant, repère les bonnes indications afin de dessiner correctement le fait insolite décrit. Attention, les seules consignes à respecter sont cachées dans les phrases impératives, les autres informations ne doivent pas être suivies ! Pour t'aider à t'organiser, souligne toutes les phrases impératives dans le texte et fais ton dessin par la suite !

« Aujourd'hui, nous avons le privilège d'assister à la plongée officielle du plus petit sous-marin existant, et ce, tout près de chez nous. Le sous-marin *BIG* est enfin présenté au public, et nous pourrons l'admirer quelques minutes avant sa plongée. Accélérez le pas, vous allez être en retard au quai où sera donné le départ ! Vous voici enfin sur place. Remarquez le peu d'espace disponible en cabine pour le pilote. On vient de me confirmer à l'instant le poids maximal que peut avoir l'engin avec le pilote. Imaginez un sous-marin pesant moins de 700 kg ! Quelle fierté aujourd'hui pour les résidents de Magog ! Ici Pénélope Lessard pour la chaîne de nouvelles locale. »

Maintenant, dessine le fait insolite ! N'oublie pas de garder seulement les phrases impératives du texte pour créer ton image avec le plus de détails possible !

Dessin

Petit format à ta façon

5. À ton tour de laisser aller ton imagination. À l'aide du texte troué qui décrit le fait insolite, complète les phrases avec tes idées. N'oublie pas que pour ton dessin, tu ne dois utiliser que les éléments des phrases impératives. Amuse-toi à comparer tes deux dessins lorsque tu auras terminé ta description!

«Aujourd'hui, nous avons le privilège d'assister à la plongée officielle du plus petit sous-marin existant, et ce, tout près de chez nous. Le sous-marin __________ est enfin présenté au public, et nous pourrons l'admirer quelques minutes avant sa plongée. Accélérez le pas, vous allez être en retard __________! Vous voici enfin sur place. Remarquez le peu d'espace disponible________________________. On vient de me confirmer à l'instant le poids maximal que peut avoir l'engin avec le pilote. Imaginez un sous-marin pesant moins de __________ kg! Quelle fierté aujourd'hui pour les résidents __________! Ici Pénélope Lessard pour la chaîne de nouvelles locale.»

Maintenant, dessine ton fait insolite! N'oublie pas de garder seulement les phrases impératives du texte pour créer ton dessin!

Dessin

La phrase exclamative

La phrase de base est positive et sert à affirmer quelque chose. La phrase exclamative, quant à elle, peut être utilisée afin d'affirmer quelque chose avec une émotion, un sentiment fort. Par exemple, on peut dire *Quel bel homme!* On a ajouté au début de la phrase de base (*C'est un bel homme*) un mot d'exclamation (*Quel*) et un point d'exclamation à la fin afin de la rendre exclamative.

1. Fais de chaque phrase une phrase exclamative en y ajoutant l'élément d'exclamation qui convient le mieux. Dans certains cas, plusieurs réponses sont possibles.

Quel	Quelle	Que	Comme	Qu'	Quels	Tant

a) ________ de choses restent à ranger!

b) ________ votre visage a changé!

c) ________ votre travail semble difficile!

d) ________ idée farfelue d'avoir pensé à ce duo!

e) ________ bons amis ils font!

f) ________ chics garçons!

g) ________ grande nouvelle vous nous annoncez là!

h) ________ ils sont ingénieux!

i) ________ plan redoutable!

2. Les énoncés ci-dessous sont des types de phrases mélangés. À l'aide des informations de la page précédente, détermine lesquels sont des phrases exclamatives et encercle-les.

a) Je n'arrive pas à me faire à l'idée.

b) Quelle magnifique paire de chaussures!

c) Iras-tu voir ta grand-mère demain?

d) Elle clame haut et fort qu'elle est en désaccord!

e) Je ne me sens pas assez bien pour y assister.

f) Tant d'amour se retrouve dans ce message!

g) Donnez-lui son médicament!

h) Comme la journée file!

3. Vrai ou faux? Encercle ton choix.

a) Un texte narratif doit comporter au moins une phrase exclamative. Vrai Faux

b) Lorsque nous lisons une phrase exclamative, notre intonation doit s'ajuster à l'intention de l'auteur. Vrai Faux

---

Fais ton autoévaluation.

J'ai trouvé cette notion :

Encercle ton choix.

1	2	3	4	5	6	7	8	9	10

Facile — Difficile

Étanche ta soif !

4. Dans le texte suivant, repère les bonnes indications afin de dessiner correctement le fait insolite décrit. Attention, les seules consignes à respecter sont cachées dans les phrases exclamatives, les autres informations ne doivent pas être suivies ! Pour t'aider à t'organiser, souligne toutes les phrases exclamatives dans le texte et fais ton dessin par la suite !

Les universitaires de notre pays ne sont pas reconnus seulement pour être très intelligents, mais également pour être très créatifs ! C'est ce qu'on peut conclure à la suite de l'obtention du record mondial du plus gros frappé aux petits fruits par certains étudiants de l'Université McGill en 2015 ! Pour y arriver, ils ont dû utiliser quinze mélangeurs commerciaux et brasser la préparation pendant plus de quatre heures ! Et quelle quantité de petits fruits il devait y avoir ! Croyez-vous qu'ils ont ajouté au mélange de grandes quantités de chocolat ? Au total, plus de 2597 litres de frappé aux fruits ont été faits durant cette journée mémorable !

Maintenant, dessine le fait insolite ! N'oublie pas de garder seulement les phrases exclamatives du texte pour créer ton image avec le plus de détails !

Dessin

Étanche ta soif à ta façon

5. À ton tour de laisser aller ton imagination. À l'aide du texte troué qui décrit le fait, complète les phrases avec tes idées. N'oublie pas que pour ton dessin, tu ne dois utiliser que les éléments des phrases exclamatives. Amuse-toi à comparer tes deux dessins lorsque tu auras terminé ta description !

Les universitaires de notre pays ne sont pas reconnus seulement pour être très intelligents, mais également pour __________ ! C'est ce qu'on peut conclure à la suite de l'obtention du record mondial du plus gros frappé aux __________ par certains étudiants de l'Université McGill en 2015 ! Pour y arriver, ils ont dû utiliser ____________________ commerciaux et brasser la préparation pendant plus de __________ ! Et quelle quantité de __________ il devait y avoir ! Croyez-vous qu'ils ont ajouté au mélange de grandes quantités ____________ ? Au total, plus de __________ de frappé ont été faits durant cette journée mémorable !

Maintenant, dessine ton fait insolite ! N'oublie pas de garder seulement les phrases exclamatives du texte pour créer ton dessin !

Dessin

Exercices inversés !

Dans la prochaine section, qui s'inspire des 5 thèmes de ce cahier (technologies, animaux disparus, sports d'équipe, construction et faits insolites), nous aborderons les mêmes notions que précédemment, mais tu devras deviner toi-même de laquelle il s'agit. Dans de courts textes contenant des éléments soulignés, tu essaieras de trouver quelle notion tu travailles. Tu peux consulter le thème en question afin de revoir les 5 connaissances vues antérieurement.

Bonne révision !

Technologies

À travers ce thème, nous avons vu des notions de *lexique* (sens propre et figuré, mots génériques, antonymes, synonymes, préfixes). Bonne révision !

Grande solidarité

1. Choisis la réponse la plus appropriée par rapport au mot souligné parmi les suggestions entre parenthèses puis encercle ta réponse. Tu peux consulter le dictionnaire pour vérifier tes hypothèses de travail.

Je suis parmi les premières à dire que les réseaux sociaux apportent du négatif dans nos vies. Cependant, la semaine dernière, j'ai dû admettre que dans certaines situations, ils peuvent faire une différence importante. Cette (minusociété, microsociété) s'active réellement rapidement et permet de diffuser de l'information à une vitesse jusqu'ici (imsoupçonnée, insoupçonnée) de ma part. Lorsque chaque minute compte, cette plateforme (multifonction, plurifonction) s'avère souvent la meilleure ligue (contre-crime, anticrime) !

La notion traitée ici est : ________________________________

2. À toi de jouer ! Trouve 5 exemples de cette notion et inscris-les ci-dessous. Demande à un adulte de vérifier tes réponses. Attention, les exemples ci-dessus ne seront pas acceptés !

a) ________________________ d) ________________________

b) ________________________ e) ________________________

c) ________________________

Un bracelet infirmier

3. Choisis la réponse la plus appropriée par rapport au mot souligné parmi les suggestions entre parenthèses puis encercle ta réponse. Tu peux consulter le dictionnaire pour vérifier tes hypothèses de travail.

> Depuis plusieurs années, tous les <u>enfants</u> (adolescents, nouveau-nés, adultes) ou intervenants qui travaillent avec moi me répètent sans cesse de mieux m'organiser, de planifier mes travaux ou encore de mieux gérer mon budget. J'entends bien leur message, et moi aussi, je suis fatigué d'être toujours à la course ou <u>en avance</u> (à l'heure, en retard). Le problème, c'est que je ne sais pas comment changer. Je commence aujourd'hui des rencontres avec un groupe qui propose de m'aider dans cette démarche. À la première rencontre, la responsable me remettra un bracelet que je ne dois <u>toujours</u> (souvent, jamais, rarement) enlever, pas même sous la douche ! Ce bracelet conservera <u>peu</u> (plein, moins) d'informations sur mes habitudes de vie, comme le sommeil, l'alimentation, l'exercice physique. Il veillera en quelque sorte sur moi !

La notion traitée ici est : ________________________________

4. À toi de jouer ! Trouve 5 exemples de cette notion et inscris-les ci-dessous. Demande à un adulte de vérifier tes réponses. Attention, les exemples ci-dessus ne seront pas acceptés !

a) ______________________ d) ______________________

b) ______________________ e) ______________________

c) ______________________

Animaux disparus

À travers ce thème, nous avons vu des notions d'*accords* (déterminants, adjectifs, pronoms, adverbes et prépositions). Bonne révision !

Le dauphin de Chine

1. Choisis la réponse la plus appropriée par rapport au mot souligné parmi les suggestions entre parenthèses puis encercle ta réponse. Tu peux consulter le dictionnaire pour vérifier tes hypothèses de travail.

Le dauphin de Chine a officiellement disparu il y a plus de dix ans des eaux de notre (juste, belle, complète) planète. Cet animal portant le nom du pays où il vivait arrivait à vivre dans l'eau (douce, gelée, noire). Malgré sa grande capacité d'adaptation à son milieu de vie, on en dénombrait seulement sept il y a quelques années. De taille semblable à un humain, il était néanmoins beaucoup plus (jaune, lourd, moustachu) que ce dernier. Il pouvait peser entre 100 et 160 kg. Par contre, ce qui le distinguait réellement des autres dauphins, c'était son (frisé, long, froid) bec. En effet, il possédait toute une arme pour se nourrir, avec de nombreuses dents bien (coupées, trouées, aiguisées). La triste disparition de ce dauphin nous sert aujourd'hui de leçon pour protéger d'autres animaux menacés.

La notion traitée ici est : ______________________________

2. À toi de jouer ! Trouve 5 exemples de cette notion et inscris-les ci-dessous. Demande à un adulte de vérifier tes réponses. Attention, les exemples ci-dessus ne seront pas acceptés !

a) ______________________ d) ______________________

b) ______________________ e) ______________________

c) ______________________

Les renards rusés et sauvés

3. Choisis la réponse la plus appropriée par rapport au mot souligné parmi les suggestions entre parenthèses puis encercle ta réponse. Tu peux consulter le dictionnaire pour vérifier tes hypothèses de travail.

Présent sur de petites îles autour de la Californie, le renard gris a connu des années sombres. En effet, à cause de maladies virales et d'attaques d'aigles, l'espèce était en chute libre depuis les années 1990. Le renard gris a été (aucunement, étonnant, formellement) déclaré en voie de disparition en 2004. Cependant, grâce à la mobilisation des organismes de protection des animaux ainsi qu'à leurs collaborateurs, un programme de protection a été mis sur pied assez (rapide, lentement, rapidement) pour freiner l'extinction de cette espèce. La vaccination et une loi spéciale de protection étaient au cœur de ces actions et elles ont porté leurs fruits. Aujourd'hui, le renard gris n'est plus menacé et a un avenir (franchement, fraîchement, épeurant) rassurant !

La notion traitée ici est : ______________________________

4. À toi de jouer ! Trouve 5 exemples de cette notion et inscris-les ci-dessous. Demande à un adulte de vérifier tes réponses. Attention, les exemples ci-dessus ne seront pas acceptés !

a) ______________________ d) ______________________

b) ______________________ e) ______________________

c) ______________________

Sports d'équipe

À travers ce thème, nous avons vu des notions d'*orthographe d'usage* (mots se terminant par *é* ou *ée*, consonnes *c* et *g*, orthographe des mots, lettre muette en fin de mot).

Bonne révision !

Souvenir sportif

1. Trouve la lettre manquante des mots soulignés parmi celles entre parenthèses. Tu peux consulter le dictionnaire pour vérifier tes hypothèses de travail.

Quelle chance ! Mes (c, ç, g)____rands-parents viennent souper à la maison ce soir. J'adore les avoir près de moi. Ils ont toujours un million d'anecdotes à ra(c, ç)__onter et peuvent répondre à toutes mes questions sur différents sujets. Ma grand-mère a déjà fait partie d'une grande troupe de danse (ç, c)__ lassique et a dû voyager dans différents pays pendant de nombreuses années. Quant à mon grand-père, il était entraîneur d'une équipe professionnelle de soccer. Puisque je viens de m'inscrire à mon tour dans un (c, ç)__lub de soccer, j'espère qu'il pourra me raconter (c, ç)__ertains de ses souvenirs, et principalement ses meilleurs trucs pour un joueur débutant comme moi.

La notion traitée ici est : ______________________________

2. À toi de jouer ! Trouve 5 exemples de cette notion et inscris-les ci-dessous. Demande à un adulte de vérifier tes réponses. Attention, les exemples ci-dessus ne seront pas acceptés !

a) ______________________ d) ______________________

b) ______________________ e) ______________________

c) ______________________

Les Jeux olympiques

3. Dans ce court texte, encercle le mot correctement orthographié parmi les choix de réponses entre parenthèses. N'oublie pas de vérifier les accords, s'il y a lieu, avant de confirmer ton choix.

Peu importe la discipline sportive, le rêve d'aller aux Jeux olympiques fait souvent partie de la vie d'un jeune (athlète, atlète, hatlète). Plusieurs disciplines y sont effectivement représentées, dans les sports d'hiver comme dans les sports d'été. Lorsque les Jeux sont diffusés, il est impressionnant de voir comment tous les (environements, anvironnements, environnements) propices aux sports sélectionnés sont recréés. Pour ma part, je fais depuis quelques années du ski acrobatique et je regarde attentivement toutes les (compétisions, compétitions, conpétitions) de notre équipe canadienne. En attendant de pouvoir me qualifier pour les prochains Jeux olympiques, j'essaie d'en apprendre (d'avantage, davantage, davantaje) sur le parcours parfois long et ardu des sportifs de haut niveau !

La notion traitée ici est : ______________________________

4. À toi de jouer ! Trouve 5 exemples de cette notion et inscris-les ci-dessous. Demande à un adulte de vérifier tes réponses. Attention, les exemples ci-dessus ne seront pas acceptés !

a) ______________________ d) ______________________

b) ______________________ e) ______________________

c) ______________________

La construction

À travers ce thème, nous avons vu des notions de *conjugaison* (infinitif du verbe, verbe *aimer* [1er groupe], verbe *finir* [2e groupe], passé composé, futur simple). Bonne révision !

L'apprenti

1. Dans ce court texte, encercle le mot correctement orthographié parmi les choix de réponses entre parenthèses. Tu peux consulter le dictionnaire pour vérifier tes hypothèses de travail.

Les travaux ont commencé plus tard ce matin, car nous avions une réunion de dernière minute. Un stagiaire devait se (joint, joigne, joindre) à notre équipe pour la journée afin de voir si le travail sur le chantier pouvait lui plaire. À notre grande surprise, l'apprenti est arrivé sans gourde d'eau ni collation. De plus, en l'examinant davantage, on s'est rendu compte qu'il n'avait pas de bottes de travail ni de chapeau pour se (protéger, protégé, protège) du soleil. La journée allait être longue pour ce travailleur peu expérimenté, et il semblait déjà (veut, vouloir, vouloire) retourner chez lui. Après quelques minutes de consultation, l'équipe de travail a accepté de lui (prêter, prêté, preter) le matériel nécessaire et de (partage, partajer, partager) le contenu de leurs boîtes à lunch. Heureusement que ce stagiaire est tombé dans une équipe où l'on s'entraide!

La notion traitée ici est: ______________________________

2. À toi de jouer! Trouve 5 exemples de cette notion et inscris-les ci-dessous. Demande à un adulte de vérifier tes réponses. Attention, les exemples ci-dessus ne seront pas acceptés!

a) ______________________ d) ______________________

b) ______________________ e) ______________________

c) ______________________

Une découverte payante

3. Dans ce court texte, encercle le mot correctement orthographié parmi les choix de réponses entre parenthèses. Tu peux consulter le dictionnaire pour vérifier tes hypothèses de travail.

Enfin, j'allais pouvoir voir ma nouvelle chambre. Depuis le début des rénovations, je suis comme un itinérant dans ma propre maison. Lorsque la cuisine était envahie par les travailleurs, le salon servait de salle à manger, alors que lorsque les travaux étaient au sous-sol, on me demandait de partager la chambre de ma sœur pour quelques nuits. Hier, soulagé de regagner mes quartiers, je me (suis lancer, suis lancé, est lancé) littéralement dans mon lit. Avec mon trop-plein d'enthousiasme, j'(a cogné, ai cogné, ais cogné) la base de mon lit dans le mur assez durement pour qu'un trou se forme dans la plaque de plâtre. Je me (est penché, suis penchés, suis penché) pour voir l'étendue des dégâts quand mes yeux se sont posés sur un objet brillant. Une belle pièce de monnaie rutilante (a roulé, sont roulé, a roulent) au sol ; elle semblait provenir d'une autre époque. Effectivement, la pièce était datée du début des années 1900. Peut-être suis-je devenu millionnaire !

La notion traitée ici est : ______________________________

4. À toi de jouer ! Trouve 5 exemples de cette notion et inscris-les ci-dessous. Demande à un adulte de vérifier tes réponses. Attention, les exemples ci-dessus ne seront pas acceptés !

a) ______________________ d) ______________________

b) ______________________ e) ______________________

c) ______________________

Faits insolites

À travers ce thème, nous avons vu certaines notions de *syntaxe* et de *ponctuation* (phrases négative, interrogative, impérative, exclamative). Bonne révision !

Petits renardeaux

1. Lis le texte suivant et essaie de trouver avec quel type de phrases il est constitué (phrases soulignées). Lorsque tu auras inscrit ta réponse au bas de la phrase, identifie dans les phrases soulignées toutes les informations utiles au dessin du fait insolite que tu pourras faire ci-dessous.

C'est bien connu, les humains adorent les bébés animaux. Nous sommes plus habitués à voir des chatons, des chiots ou des oisillons et chaque fois, notre cœur s'attendrit. Mais avez-vous déjà vu une portée de trois renardeaux? Vous avez probablement deviné qu'il s'agit des petits du renard. Lorsqu'ils naissent, ces mignons doivent rester auprès de leur mère pour se nourrir, bien sûr, mais également pour se protéger. Saviez-vous qu'ils naissent sourds et aveugles? En effet, pendant plusieurs jours, ils doivent se fier à la renarde, qui en profite pour apprendre à les connaître ! Combien de temps devrons-nous attendre avant de voir gambader ces jolies petites boules de poils grises aux beaux yeux bleus? Quelques semaines !

Dessin des renardeaux

La notion traitée ici est : ________________________________

Les renardeaux à ta façon

2. À ton tour de laisser aller ton imagination. Dans ce texte troué qui décrit les renardeaux, complète les phrases avec tes idées. N'oublie pas que pour dessiner les renardeaux, tu ne dois utiliser que les éléments des phrases soulignées. Amuse-toi à comparer tes deux dessins lorsque tu auras terminé ta description !

C'est bien connu, les humains adorent les bébés animaux. Nous sommes plus habitués à voir des chatons, des chiots ou des oisillons et chaque fois, notre cœur s'attendrit. Mais avez-vous déjà vu une portée de ____________ renardeaux? Vous avez probablement deviné qu'il s'agit des petits du renard. Lorsqu'ils naissent, ces mignons doivent rester auprès de leur mère pour se nourrir, bien sûr, mais également pour se protéger. Saviez-vous qu'ils naissent ____________ et ____________? En effet, pendant plusieurs jours, ils doivent se fier à la renarde, qui en profite pour apprendre à les connaître ! Combien de temps devrons-nous attendre avant de voir gambader ces jolies petites boules de ____________ aux beaux ____________? Quelques semaines !

Dessin des renardeaux

Dictées récapitulatives

Dans la prochaine section, qui s'inspire des 5 thèmes de ce cahier (technologies, animaux disparus, sports d'équipe, construction et faits insolites), nous aborderons les mêmes notions, mais cette fois sous forme de dictées. Demande à un adulte de te lire les dictées qui suivent. Dans ces courts textes, tu reverras plusieurs notions travaillées dans le cahier. La lecture de chaque dictée peut être répétée au besoin, et les exercices de cette section ne sont pas chronométrés. Bonne révision!

Un exposé intrigant

Lisez tranquillement la courte dictée à la page 143 du corrigé. Au besoin, répétez certains segments de phrase, et ce, aussi souvent que nécessaire. Ne chronométrez pas le travail de l'enfant dans ce contexte. Ces dictées se veulent des exercices de perfectionnement et ne sont pas des évaluations formelles.

Une visite mémorable

Lisez tranquillement la courte dictée à la page 143 du corrigé. Au besoin, répétez certains segments de phrase, et ce, aussi souvent que nécessaire. Ne chronométrez pas le travail de l'enfant dans ce contexte. Ces dictées se veulent des exercices de perfectionnement et ne sont pas des évaluations formelles.

Louis, mon cousin

Lisez tranquillement la courte dictée à la page 143 du corrigé. Au besoin, répétez certains segments de phrase, et ce, aussi souvent que nécessaire. Ne chronométrez pas le travail de l'enfant dans ce contexte. Ces dictées se veulent des exercices de perfectionnement et ne sont pas des évaluations formelles.

Un cadeau bien pensé !

Lisez tranquillement la courte dictée à la page 143 du corrigé. Au besoin, répétez certains segments de phrase, et ce, aussi souvent que nécessaire. Ne chronométrez pas le travail de l'enfant dans ce contexte. Ces dictées se veulent des exercices de perfectionnement et ne sont pas des évaluations formelles.

Camping sauvage ?

Lisez tranquillement la courte dictée à la page 144 du corrigé. Au besoin, répétez certains segments de phrase, et ce, aussi souvent que nécessaire. Ne chronométrez pas le travail de l'enfant dans ce contexte. Ces dictées se veulent des exercices de perfectionnement et ne sont pas des évaluations formelles.

Mémoire d'époque

Lisez tranquillement la courte dictée à la page 144 du corrigé. Au besoin, répétez certains segments de phrase, et ce, aussi souvent que nécessaire. Ne chronométrez pas le travail de l'enfant dans ce contexte. Ces dictées se veulent des exercices de perfectionnement et ne sont pas des évaluations formelles.

À l'affiche !

Lisez tranquillement la courte dictée à la page 144 du corrigé. Au besoin, répétez certains segments de phrase, et ce, aussi souvent que nécessaire. Ne chronométrez pas le travail de l'enfant dans ce contexte. Ces dictées se veulent des exercices de perfectionnement et ne sont pas des évaluations formelles.

L'heure du bilan

Après tout ce travail, voici un espace qui t'est réservé. Tu peux y indiquer les notions que tu as trouvé difficiles, celles que tu veux revoir, ou encore les questions que tu pourras poser à ton enseignant ou à un adulte.

J'ai trouvé ces notions difficiles :

- ______________________________
- ______________________________
- ______________________________
- ______________________________

Ces notions seront à retravailler :

- ______________________________
- ______________________________
- ______________________________
- ______________________________

J'ai quelques questions en tête :

- ______________________________
- ______________________________
- ______________________________
- ______________________________

Fiches de concepts

Grâce à ton travail, tu as réussi à faire l'apprentissage et la révision de plusieurs concepts qu'il faut connaître en 5e année. Dans les pages qui suivent, tu trouveras des fiches à découper qui expliquent ces concepts. D'un côté, il y a le nom du concept (ex. : déterminant) et de l'autre côté, quelques mots clés qui y sont associés. Ces fiches te seront très utiles au moment de ton étude !

Sens figuré	Mots génériques	Antonymes
Synonymes	Préfixe	Déterminant
Adjectif	Pronom	Adverbe

Mots qui ont des sens opposés

Ex. : haut/bas

Utiles pour créer des catégories de sens

Décrivent des objets / êtres

Termes globaux

Ex. : bijoux, meubles

Utilisé pour s'exprimer de façon plus colorée

Sens créé avec des images

Utilisation d'expressions

Ex. : il tombe des cordes (signifie : il pleut très fort)

Mot placé devant le nom

Introduit le nom ou parfois le précise

Ex. : Cette odeur

Élément prése au début du mot

Se place juste avant la racine du mot

Ex. : kilogramme, kilo-mètre

(*kilo-* signifie « mille »)

Mots de sens proche, pas nécessairement identique

On peut les interchanger

Ex. : jolie/belle

Ajoute une précision / modifie le sens du mot (verbe/adjectif)

Supprimable

Change l'intensité du message

Remplace un mot ou un groupe de mots dans une phrase

Permet d'éviter la répétition

S'accorde en genre et en nombre avec le nom qu'il remplace

Complément du nom

Souvent placé après le nom

S'accorde en genre et en nombre avec le nom qu'il accompagne

Conjonction	Infinitif	Verbes 1er groupe
Verbes 2e groupe	Indicatif passé composé	Indicatif futur simple
Phrase négative	Phrase impérative	Phrase interrogative

Aimer = modèle du groupe Majorité des verbes : même conjugaison	Verbe non conjugué Forme que l'on retrouve dans le dictionnaire	Cela peut être un ou plusieurs mots Sert à unir différents éléments qui ont une idée commune Ex. : car
Décrit quelque chose qui va arriver dans le futur Terminaisons : *rai, ras, ra, rons, rez, ront*	Décrit quelque chose de terminé Avec auxiliaire (être ou *avoir*) Ce dernier s'accorde avec son sujet	*Finir* = modèle du groupe Majorité des verbes : même conjugaison
Utilisée pour s'interroger sur quelque chose Ajout de mots d'interrogation Ajout d'un point d'interrogation	Utilisée pour donner un ordre ou un conseil Enlever le sujet de la phrase (devient sous-entendu) Point d'exclamation, parfois	Utilisée pour interdire, refuser quelque chose Ajout de *ne… pas* ou autres mots de négation

Phrase exclamative	Lexique	Accords
Orthographe d'usage	Conjugaison	Syntaxe

Comprennent les classes de mots (ex. : adj., adv.) Donneurs-receveurs d'accord	Comprend la formation de mots, le vocabulaire, le sens des mots Ensemble des mots que possède une langue	Utilisée pour affirmer quelque chose avec émotion Ajout d'un point d'exclamation Mots d'exclamation, parfois (*oh !*)
Types de phrases (ex. : phrases négatives, interrogatives) Structure de la phrase	Connaissances sur les verbes (modes, temps, terminaisons, verbes modèles)	Constantes orthographiques Ex. : *ail/aille* Trucs pour la mémorisation

Carte d'organisation des idées

Dans les deux prochaines pages, tu pourras consulter un résumé de toutes les notions traitées dans ce cahier. Ce résumé est construit à l'aide d'une carte d'organisation de tous les concepts. Ainsi, tu pourras bien voir les liens entre tous ces termes.

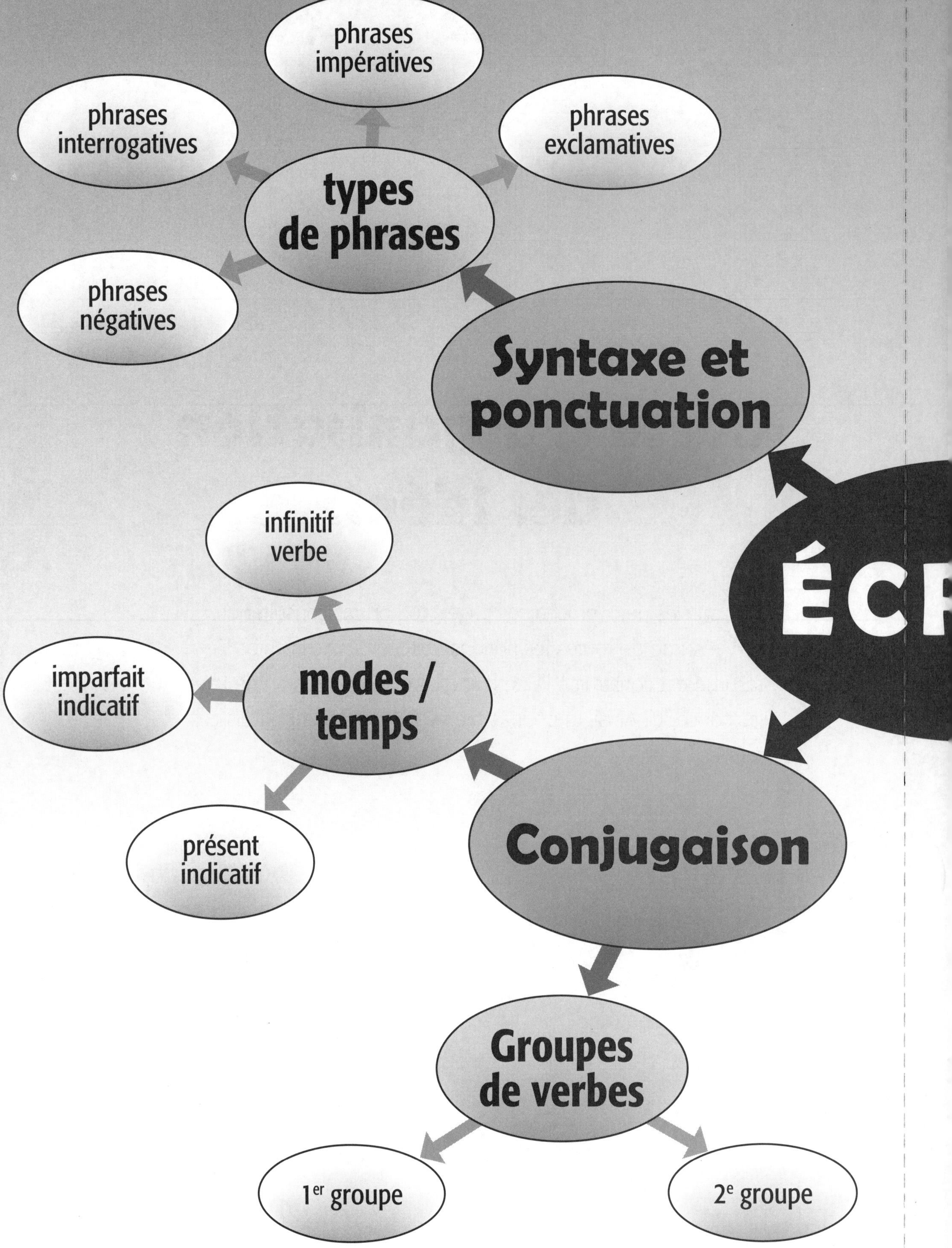

Syntaxe et ponctuation

types de phrases

phrases interrogatives

phrases impératives

phrases exclamatives

phrases négatives

ÉCR

Conjugaison

modes / temps

infinitif verbe

imparfait indicatif

présent indicatif

Groupes de verbes

1er groupe

2e groupe

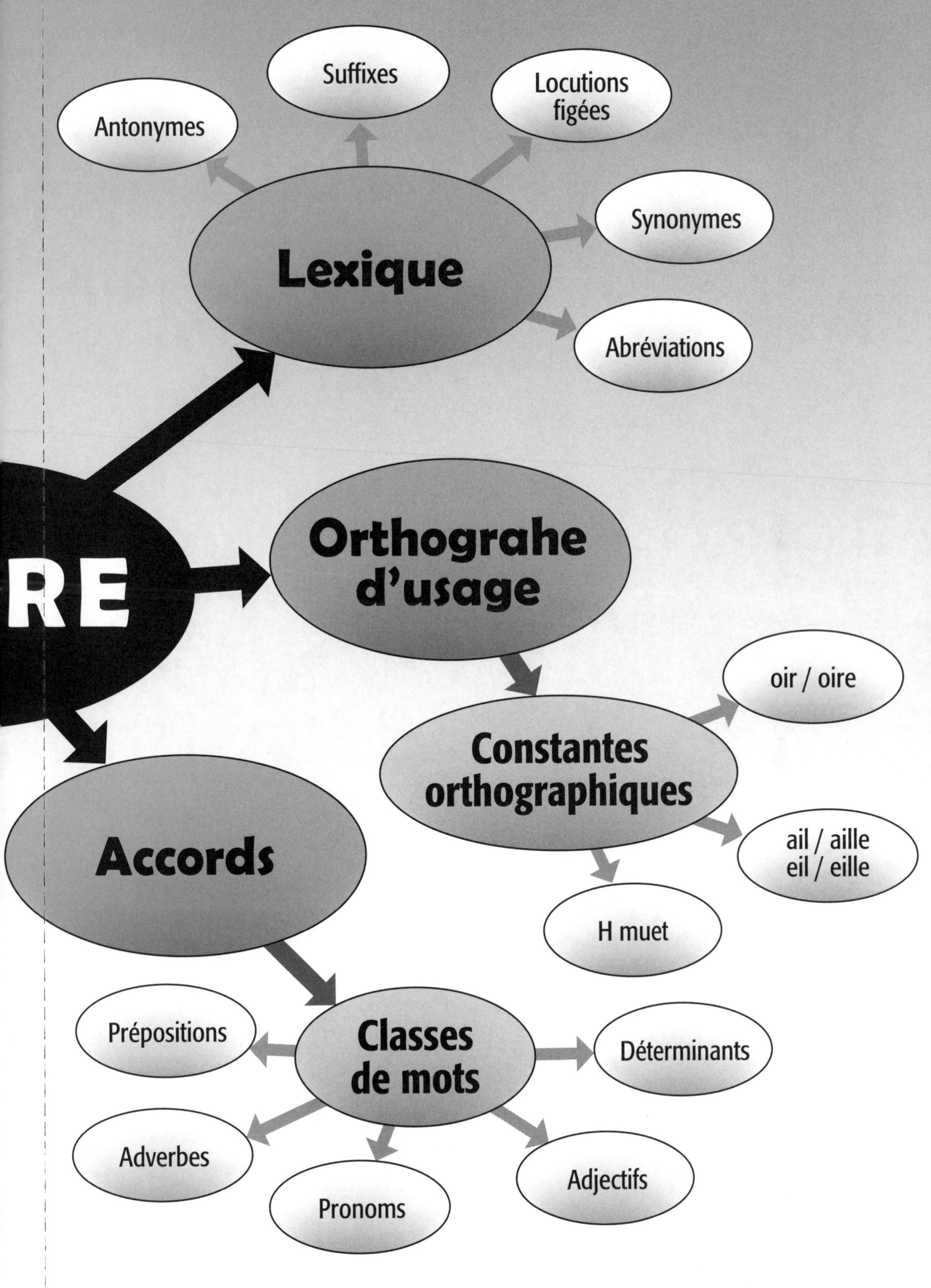
RE
Lexique
Antonymes
Suffixes
Locutions figées
Synonymes
Abréviations
Orthograhe d'usage
Constantes orthographiques
oir / oire
ail / aille
eil / eille
H muet
Accords
Classes de mots
Prépositions
Déterminants
Adverbes
Pronoms
Adjectifs

Corrigé

Page 10

1. Plusieurs réponses possibles. Voici quelques exemples.

a) J'ai l'impression de chercher quelque chose de difficile à trouver.

b) C'est vraiment très clair.

c) Elle a trouvé un compromis.

d) Je cesse d'essayer de deviner.

e) Ils sont vraiment heureux / remplis de bonheur.

f) Avoir beaucoup de travail devant soi.

g) Être pris dans une situation délicate.

Page 11

2.

a) autour tourner pot du.

Tourner autour du pot. → 2. Être hésitant, ne pas être certain.

b) dans pommes tomber les.

Tomber dans les pommes. → 1. S'évanouir, perdre connaissance.

c) rose la vie voir en.

Voir la vie en rose. → 3. Être positif, voir le bon côté.

d) un canard froid de.

Un froid de canard. → 4. Un très grand froid.

e) tête se la creuser.

Se creuser la tête. → 5. Chercher. / Réfléchir intensément.

3. a) Faux

b) Faux. Il peut être utilisé dans tous les types d'écrits.

Page 12

4. Hier soir, Lucas m'a invité chez lui à regarder un reportage qu'il avait enregistré sur un sujet qui me passionne : l'intelligence artificielle. En résumé, cette discipline tente de donner une certaine forme d'intelligence à des machines. Celles-ci arrivent à accomplir des tâches tellement impressionnantes que les bras m'en tombent. Bien certainement, il arrive que les robots se mettent un peu les pieds dans les plats dans des situations nouvelles, mais l'intelligence artificielle se perfectionne de plus en plus. Ce secteur en plein développement ne donne pas accès à tous ses travaux en cours, car les murs peuvent avoir des oreilles et les primeurs seraient vite volées. En attendant de voir des robots les accueillir chez le dentiste ou chez le médecin, les humains sont sauvés par la cloche ; il leur reste toujours leur chaleur et leurs réelles émotions.

Page 13

1. a) Après une partie sur sa console de jeux, Sara décide de manger quelques framboises (légumes, **fruits**, conserves).

b) Le nouvel ordinateur de Simon doit être déposé sur la table du salon (bâtiment, **meuble**, cosmétique).

c) Le nouveau véhicule utilitaire sport de Maxime a un système de son incroyable (remorque, **voiture**, bicyclette).

d) Ariane et Laurence pratiquent leur chorégraphie de salsa avant leur cours (musique, **danse**, nature).

e) Sébastien a du mal à utiliser sa main tellement il a joué longtemps avec la manette de sa console de jeux (végétaux, vaisselle, **partie du corps**).

f) Cette souris ressemble étrangement à une aubergine ou à une petite courge (**légumes**, fleurs, plantes).

g) Je viens tout juste de trouver un excellent blogue qui nous explique comment bien utiliser la crème de jour, le rouge à lèvres ou encore le mascara (produits ménagers, **cosmétiques**, produits laitiers).

h) Les achats sont maintenant simplifiés grâce à ce site internet. J'ajoute au panier des verres et des assiettes pour ma soirée de demain (meubles, **vaisselle**, électroménagers).

Page 14

2.

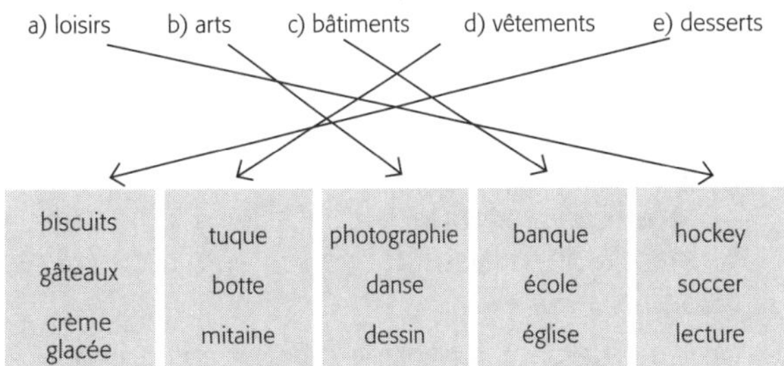

3. a) Vrai

b) Vrai

Page 15

4. Plusieurs réponses sont possibles.

C'est la rentrée scolaire et mon père et moi sommes en route pour acheter tout le matériel nécessaire. En voiture, mon père affiche un petit sourire en coin. Il m'annonce qu'il me réserve une surprise. On entre dans un commerce (*ex. : boutique, magasin*) et l'employé (*ex. : commis, vendeur*) vient nous voir. Mon père lui demande s'il peut voir les nouveaux appareils (*ex. : ordinateurs, téléphones, tablettes*) technologiques reçus récemment. L'employé nous conduit jusqu'à l'arrière du bâtiment (*ex. : magasin, boutique*) où se trouve un véhicule (*ex. : camion, voiture*) qui contient plusieurs ordinateurs et tablettes. Il en ressort un contenant (*ex: boîte, sac, bac*) dans lequel se trouve une tablette électronique. Mon père me la remet et me souhaite une bonne année scolaire remplie de succès !

Page 16

1. a) Afin de protéger tes informations personnelles, tu dois toujours choisir le mode ordinateur (privé) **public** à la bibliothèque.

b) Mon nouveau portable démontre de nettes (détériorations) **améliorations**, surtout pour la qualité des photos.

c) Grâce aux réseaux sociaux, une jeune fille dont (l'apparition) **la disparition** avait été annoncée hier a été retrouvée.

d) Je viens tout juste de changer mon étui à cellulaire puisqu'il n'était pas assez (flexible) **rigide**.

e) La connexion internet au chalet est tellement (rapide) **lente** que certaines applications ne peuvent être démarrées.

f) Afin que mon téléphone ne reste pas (sec) **humide / mouillé**, le conseiller m'a recommandé de le laisser quelques jours dans un sac de riz.

g) Je ne peux plus recevoir de courriels car ma messagerie électronique est (vide) **pleine**.

h) Ma mère m'a confisqué mon portable. Elle me le remettra lorsque ma chambre sera en (désordre) **ordre**.

i) Livia, une jeune fille qui vient tout juste d'(émigrer) **immigrer** au pays, semble très gênée.

Page 17

2.

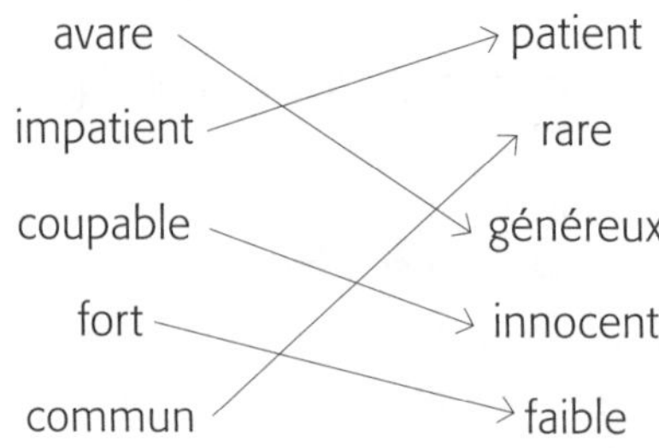

3. a) Vrai

b) Faux. Par exemple, *aimer* et *détester* sont des verbes qui sont antonymes.

Page 18

4. Je suis toujours en retard et j'oublie pratiquement tout. Mes parents se plaisent à dire que je suis né dans les nuages et que j'y suis resté. Bien que je trouve parfois cette situation drôle, je peux me retrouver bien vite avec de sérieux problèmes, surtout à l'école. Mon ennemi (frère, **ami**, jumeau) Victor m'a proposé d'utiliser sa montre qui sait tout. C'est comme ça qu'il la nomme. Cette montre fait le malheur (tristesse, surprise, **bonheur**) des grands désorganisés, car elle propose différentes applications pour mieux planifier les actions quotidiennes. Par exemple, après (prochainement, **avant**, maintenant) un cours d'arts, on peut programmer une alarme pour se rappeler de prendre son matériel. Tous les retardataires pourront ainsi crier défaite (hourra, fort, **victoire**) devant les oublis de tous les jours. Ce nouvel outil pourra même être utile jusqu'à la jeunesse (**vieillesse**, sagesse, maladresse) en cas de perte de mémoire !

5. Les mots *félicitation* et *longeur* doivent être encerclés. Les formes correctes sont *félicitations* et *longueur*.

Page 19

1. a) Le magasinage en ligne facilite beaucoup l'achat de (linge) **vêtements**.

b) L'utilisation d'(monnaie) **argent** virtuel est de plus en plus acceptée dans les commerces.

c) Afin de faciliter la composition d'(textes) **écrits** avec notre tablette, des claviers sont maintenant proposés dans le rayon des accessoires.

d) Ali, le chien de notre voisin, a fait tomber le cellulaire de son maître dans l'(étang) **mare**.

e) Nous quittons la boutique d'électronique puisque le (marchand) **vendeur** ne peut pas répondre à nos questions.

f) Cet enfant a lancé un (gobelet) **tasse** directement sur l'ordinateur du vendeur.

g) Au procès pour cette affaire de fraude internet, un (procureur) **avocat** sera nommé pour défendre la victime présumée.

Page 20

2. Plusieurs réponses possibles. Voici quelques exemples.

a) Une belle émotion — sentiment, sensation
b) Un petit troupeau — meute, bande, groupe
c) Voici ma femme — épouse, conjointe
d) Une grosse tempête — ouragan, orage
e) Un bon livre — cahier, bouquin

3. a) Faux
b) Faux

Page 21

4. Ma famille et moi allons bientôt déménager dans notre nouvelle maison. C'est mon père qui l'a conçue à l'aide d'un (logiciel / programme ☐) d'autoconstruction. Je l'ai bien sûr aidé à choisir les matériaux comme les (fenêtres / vitres ☐) et même certains petits articles comme les lits ou les (tapis / carpettes ☐). La (construction / planification ☒) a été longue et nous avons dû mettre la main à la pâte à plus d'une occasion. Le logiciel était d'une grande aide lorsque nous devions nous assurer des dimensions du (bâtiment / immeuble ☐), et nous pouvions voir en trois dimensions le produit final avant même la première pelletée de terre. Bien certainement, ce n'est pas notre ordinateur qui a réalisé le projet et on a dû utiliser plusieurs (équipements / travaux ☒) spécialisés.

Page 22

1. a) Ce logiciel **anti**virus ne semble pas aussi efficace que l'ancien installé sur ce poste.
contre

b) Je dois aller à la **biblio**thèque afin d'ajouter des références dans la **biblio**graphie de mon travail d'histoire.
livre

c) Une application permettant l'utilisation du cellulaire en tant que **thermo**mètre est maintenant disponible.
chaleur

d) Le **micro**capteur de mon appareil photo doit être remplacé. J'irai en acheter un en même temps qu'un nouveau four à **micro**-ondes.
petit

e) Ce blogueur est un grand **mal**commode. On dit même qu'il est **mal**propre lors de ses tournages.
mauvais / pas / indique le contraire

f) Ce site traite de plusieurs sujets intéressants, notamment l'**aéro**nautique et l'**aéro**spatiale.
air

Page 23

2.

- multicolore, multiple, multimillionnaire → plusieurs
- aquarium, aquarelle, aquatique → eau
- automobile, autonomie, automatique → soi-même
- prévente, prévenir, prévisible → avant
- cardiologue, cardiologie, cardiovasculaire → cœur

3. a) Vrai
b) Vrai

Page 24

4. Tous les jours, je me fais un devoir de visiter mon blogue afin d'y ajouter certains éléments. Il y a plus d'un an que j'ai amorcé cette expérience et je trouve que cette **demi**-heure de travail quotidien m'aide à me détendre. Généralement, je compose de courts articles sur des expériences que j'ai vécues, comme mon saut en **para**chute. Certains sont plutôt drôles, puisque ces récits ne finissent pas toujours comme prévu, **mal**chanceuse comme je suis. Par exemple, une journée de ski s'est terminée par une **radio**graphie de mon avant-bras après que j'ai fait une grosse chute. Après un an de compilation de photos et d'anecdotes, je vois cet exercice comme un gros album souvenir de ma vie. Prochaine aventure à raconter : une plongée **sous**-marine dans le Saint-Laurent !

5. Les mots *baggage* et *mirroir* doivent être encerclés. Les formes correctes sont *bagage* et *miroir*.

Page 26

1. Plusieurs réponses possibles. Voici quelques exemples.

	possessif	démonstratif
a) **Cet** animal n'a jamais vécu en groupe.	☐	☒
b) L'ancêtre de **mon** grand-père jurait avoir déjà vu un de ces lions.	☒	☐
c) **Ma** mère vient de m'offrir un livre sur les animaux disparus.	☒	☐
d) Un mammouth pouvait être aussi haut que **ce** camion remorque, juste là.	☐	☒
e) **Son** père ne pourra jamais trouver une plus belle réplique de tyrannosaure.	☒	☐
f) **Tes** cousins arrivent, je les vois dans ton stationnement.	☒	☐

Page 27

2.

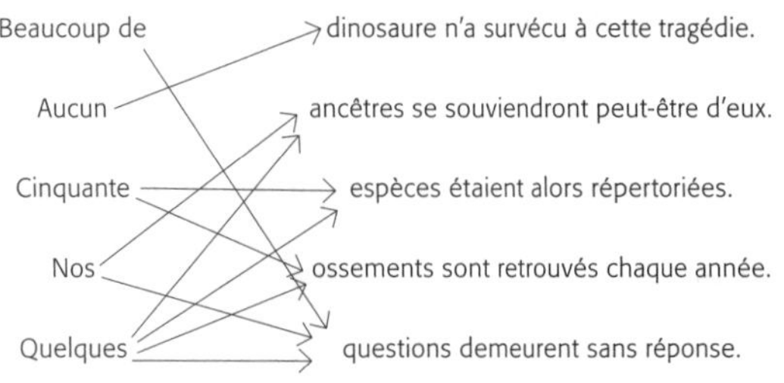

3. a) Faux. Ils sont receveurs d'accord. Ce sont les noms qui déterminent l'accord.

b) Faux. Il en existe d'autres, comme les déterminants interrogatifs, exclamatifs.

Page 28

4. Aujourd'hui, nous avons la chance de pouvoir observer **quelques / certains** zèbres dans les zoos du Québec. Mais nous ne pouvons plus apprécier la beauté de **leur** cousin : le quagga. En effet, à cause d'une chasse intensive, **ce** bel animal a complètement disparu. Le quagga se distinguait du zèbre par son pelage aux jolies rayures noires et blanches, mais seulement jusqu'**au** ventre. Un beau poil brun pâle recouvrait le reste de son corps. Grâce à **certains / quelques** scientifiques, nous pouvons espérer revoir **cet** animal, puisqu'un travail en ce sens a justement lieu en Afrique du Sud. Gardons l'œil ouvert !

Page 29

1. a) Le musée de ma région propose une exposition sur les **magnifiques** dinosaures.

b) Nous devrons être **patients** avant l'ouverture officielle du zoo.

c) Cette histoire est totalement **contraire** à ce que j'ai lu.

d) Ces animaux semblent provenir d'une histoire **lointaine**, mais ils existaient il y a à peine quelques décennies.

e) Ce sont nous, les humains, qui sommes les principaux **coupables** de leur disparition.

f) Les plaques sur leur dos étaient tellement **pointues** qu'elles pouvaient transpercer leurs adversaires.

g) Cette espèce en particulier n'appréciait pas les troupeaux. Elle était considérée comme **solitaire**.

Page 30

2.

discret	cahier	**intelligent**
manger	**fameux**	plume
cellulaire	**brun**	**lourd**
nager	baignoire	table
haute	vraiment	mouchoir

3. a) Vrai

b) Vrai

Page 31

4.

Malgré son nom qui nous fait penser aux plus **récent** manèges d'un parc

récents

d'attraction, cet animal n'a rien à voir avec les montagnes **russes**. Il s'agit d'un

tatou **géante** qui a vécu principalement en Amérique du Sud, mais aussi en

géant

Amérique **centrale**. Le nom *glyptodon* signifie «dents **gravées**», et cette

gigantesque bête se caractérise entre autres par son dos **arrondis** et sa queue

arrondi

agile. Cette créature pouvait peser jusqu'à 2 000 tonnes et atteindre une

hauteur **maximale** de 3 mètres. Heureusement pour l'humain, le glyptodon

était **herbivore** et ne l'a jamais vu comme sa **prochaine** collation!

5. Les mots *floquon* et *honeur* doivent être encerclés. Les formes correctes sont *flocon* et *honneur*.

Page 32

1. a) **Le mien** est aussi grand que le tien. Nous avons donc des cochons d'Inde identiques.

b) Maria m'a montré son livre**. Celui-là** / **Il** était vraiment intéressant.

c) Ma réponse est définitive: **je** ne veux pas vous le rendre.

d) La mâchoire du tyrannosaure est impressionnante. **Elle** possède une force incroyable.

e) Ma mère et moi sommes allées voir l'exposition. **Nous** avons été surprises des espèces présentées.

f) **On** annonce de la pluie demain matin, peut-être que l'activité sera reportée.

g) Mes sœurs et moi devrons **nous** y habituer d'ici quelques jours.

h) Ce résumé de la présentation semble plus complet que **celui-là / le mien / le tien**.

Page 33

2.

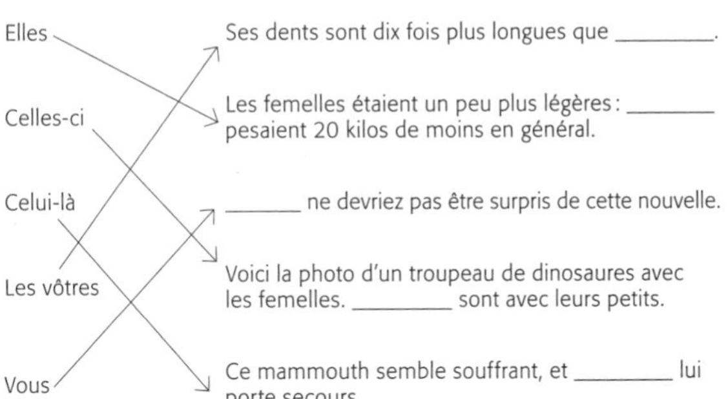

3. a) Vrai

b) Faux. Il existe des pronoms numéraux, utilisés lorsque le nombre n'accompagne pas le nom, comme le fait le déterminant.

Page 34

4. C'est probablement le nom de dinosaure le plus connu d'entre tous, mais <u>les tyrannosaures</u> fascinent toujours autant les amoureux de cette espèce disparue. En effet, (les dinosaures, **ils**, vous) ont été largement décrits, et, grâce à tous les squelettes retrouvés, plusieurs répliques en ont été construites. <u>Plusieurs documentaires</u> sont également diffusés au petit écran, et (celui-là, celui-ci, **ceux-ci**) sont très appréciés du jeune public. Les jeunes sont effectivement les plus nombreux à chercher de l'information sur les dinosaures en général, et (elles, il, **ils**) collectionnent plusieurs objets concernant ces impressionnants animaux.

Page 35

1. a) Le paléontologue doit <u>chercher</u> (prudent, **prudemment**, prudiment) les ossements enfouis.

b) (**Peu**, Peux, Peut) <u>de spécialistes</u> peuvent se vanter de cet exploit.

c) Plusieurs découvertes <u>se sont faites</u> (prais, **près**, prêt) de ce site.

d) Grâce aux nouvelles publications, nous savons maintenant que ce mammouth <u>se déplaçait</u> (lente ment, lentemment, **lentement**).

e) Le quagga pouvait (souvant, **souvent**, souvemt) <u>se montrer</u> docile avec l'humain.

f) Ces articles <u>traitent</u> (tard, **toujours**, malgré) des faits les plus saillants.

g) (Principalement, Justement, **Dorénavant**), <u>vous devrez</u> apprendre à les reconnaître par leurs caractéristiques physiques.

h) C'est exactement la même idée que celle <u>enseignée</u> (bien sûr, **hier**, soudain).

Page 36

2. Plusieurs réponses possibles. Voici quelques exemples.

a) Cet animal **ne** pouvait **pas** garder sa tête sous l'eau.

b) Commencez la visite sans moi, nous nous retrouverons **ici / là**.

c) Il vous répondra **probablement / peut-être** bientôt, je crois qu'il s'en vient.

d) Vous aviez **bel** et **bien** raison, cette information était fausse.

e) **Auparavant / Autrefois**, cet animal pouvait se promener sans danger dans la nature. Il ne pourrait plus le faire de nos jours.

3. a) Vrai

b) Vrai

Page 37

4. Par une chaude journée de juin, notre enseignant a eu une drôle d'idée. Il nous a demandé d'entamer une recherche de groupe sur les mammouths, (probable) **probablement** les animaux les mieux équipés pour affronter les journées les plus froides. Après quelques minutes de recherche sur Internet, j'ai effectivement constaté qu'ils possédaient (à un degré élevé) **tellement** de poils qu'ils pouvaient vivre dans des froids extrêmes. De plus, une épaisse couche de graisse protégeait tout leur corps. (Par contre) **Cependant**, ces caractéristiques ne leur ont pas permis de survivre aux changements du climat, qui est devenu (vite) **rapidement** chaud.

5. Les mots *contra* et *follie* doivent être encerclés. Les formes correctes sont *contrat* et *folie*.

Page 38

1. a) Je devais enregistrer ce documentaire, (alors, **mais**, ou) j'ai complètement oublié.

b) On a longtemps pensé que le mammouth était l'ancêtre de l'éléphant, (alors, si, **parce qu'**) il y a de nombreuses ressemblances entre eux.

c) Nous aurions pu connaître cette espèce (mais, alors, **si**) il n'y avait pas eu autant de chasseurs à l'époque.

d) Je vais chercher des informations sur leurs caractéristiques physiques (mais, or, **pendant que**) tu documentes leur histoire.

e) Louise (quand, ou, **et**) Claire iront ensemble voir le film.

f) Il a commencé par étudier l'histoire de leur évolution, (en outre, **puis**, mais) il a cherché à comprendre leur comportement.

g) Il a annulé sa visite à la dernière minute et, (au contraire, après tout, **par conséquent**), il a également reporté sa conférence.

h) Il est allergique aux noix et aux œufs. (Ainsi, Pourtant, **De plus**), il tolère mal le lactose.

Page 39

2.

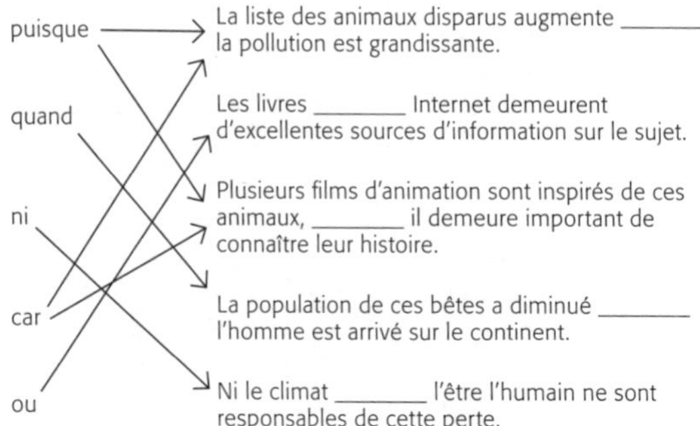

3. a) Vrai

b) Faux. La préposition sert principalement à introduire un complément, alors que la conjonction unit des éléments de la phrase.

Page 40

4. Une sortie au Biodôme de Montréal est organisée par mon école, (mais, **puisque**, si) nous avons enfin accompli le travail d'une moitié d'année scolaire. Arrivés sur place, nous commençons notre visite dans les climats chauds et humides. J'aime bien y voir la faune, (**mais**, si, quand) le meilleur moment pour moi sera probablement dans la section froide de notre parcours. Enfin, les voilà ! Les pingouins ! Rapidement, la responsable me corrige (pendant, **et**, ou) nous explique qu'il ne s'agit pas du tout de pingouins, mais bien de manchots. Elle nous raconte qu'il y avait de nombreux grands pingouins au monde, mais qu'ils ont complètement disparu, aujourd'hui. Il ne reste qu'une espèce documentée : le petit pingouin. Disons que je reviendrai à la maison avec de nouvelles connaissances, (**car**, quand, alors) j'ignorais totalement ces différences.

Page 42

1. a) En début d'ann**ée**, les activit**és** parascolaires ont été affichées.

b) Il est difficile de choisir, car il y a tellement de possibilit**és**.

c) Notre enseignant d'éducation physique nous annonce qu'il y aura des cours de plong**ée**.

d) L'an dernier, nous avons gagné la médaille d'or. Quelle fiert**é** pour notre école !

e) L'équipe de football participera à une publicit**é** pour annoncer le prochain tournoi.

f) La sociét**é** semble très axée sur le sport et fait preuve d'une grande ouverture dans la modification de ses habitudes.

g) Après un long entraînement, j'adore savourer un bon th**é** glacé.

h) Cette pente semble avoir au moins vingt degr**és** d'inclinaison.

Page 43

2.

Masculin	Féminin
degré	autorité
exposé	liberté
comité	société
	sévérité
	unanimité
	beauté
	bouée

3. a) Vrai

b) Faux. La mémorisation des exceptions est recommandée.

Page 44

4.

Mes frères et moi sommes allés à notre première séance d'entraînement de

hockey en cette belle matiné. Nous sommes tous les trois dans des équipes
matinée

différentes, mais la majoritée de nos entraînements ont lieu au même moment.
majorité

Bien entendu, nous devons nous lever avant même la clartée du jour, mais ce
clarté

sacrifice nous permet de pratiquer notre sport préféré en famille. Bien qu'il y ait

parfois une grande hostilitée entre certaines équipes, nous arrivons quand même
hostilité

à nous lier d'amitié avec quelques joueurs adverses. Après tout, c'est ça,

la beautée du sport d'équipe. Cela nous permet de développer certaines
beauté

qualités qui nous seront utiles pour le reste de notre vie.

Page 45

1. a) Ce gar**ç**on ne semble pas prêt à intégrer l'équipe.

Il s'agit d'une consonne **c** ***douce***.

b) Nous l'avons bien eu. Il est tombé dans la **gu**eule du loup.

Il s'agit d'une consonne **g** ***dure***.

c) Ce **c**arnet est rempli de souvenirs de nos récents tournois.

Il s'agit d'une consonne **c** ***dure***.

d) Promets-moi d'apporter ta **gu**itare la semaine prochaine pour nous encourager durant la partie.

Il s'agit d'une consonne **g** ***dure***.

e) Notre **c**onversation s'est terminée assez rapidement lorsque la partie a débuté.

Il s'agit d'une consonne **c** ***dure***.

Page 46

2.

Consonne douce	Consonne dure
ancêtre	bague
associer	rancune
vengeance	régulier
personnage	wagon
orage	bagage
océan	
civilisation	

3. a) Vrai

b) Vrai

Page 47

4. Notre école re**ç**oit l'une des plus grandes équipes de football de notre province pour la finale de ce soir. Après plusieurs jours de publicité annon**ç**ant cette partie, aucun siè**g**e n'est libre. Bien entendu, j'ai invité toute ma famille et plusieurs de mes **c**opains pour l'occasion. J'ai l'intention de leur montrer à quel point je peux être un joueur **c**améléon. En effet, je peux être très **c**alme et réfléchi durant certaines parties amicales, mais je peux être redoutable lorsque je sens que mon équipe perd le contrôle. Par contre, je ne suis pas de **c**eux qui déclenchent des ba**g**arres pour un rien. Je préfère garder mon éner**g**ie afin d'améliorer mon jeu.

5. Les mots *barière* et *ambulence* doivent être encerclés. Les formes correctes sont *barrière* et *ambulance*.

Page 48

1. a) L'(énairgie, énerjie, **énergie**) est palpable dans le vestiaire ; les joueurs semblent prêts.

b) En raison d'une grave (blaissure, blesure, **blessure**), Thomas devra suivre les recommandations de son physiothérapeute afin de se rétablir.

c) Des mots de (**félicitations**, félicitation, félicitasion) arrivent de partout grâce à notre victoire.

d) On arrive à lire la (décepsion, **déception**, désseption) sur le visage de l'entraîneur de l'équipe perdante.

e) Le tournoi sera probablement annulé puisqu'on annonce une (tempaite, **tempête**, tempète) dans les prochains jours.

f) Une perte d'(équélibre, équi-libre, **équilibre**) est à l'origine de la chute impressionnante de cet homme.

g) La course d'aviron est sur le point de commencer et l'(équippage, **équipage**, ékipage) est complet à la ligne de départ.

h) L'(honneure, honeur, **honneur**) de mon frère sera défendu dans cette compétition.

Page 49

2.

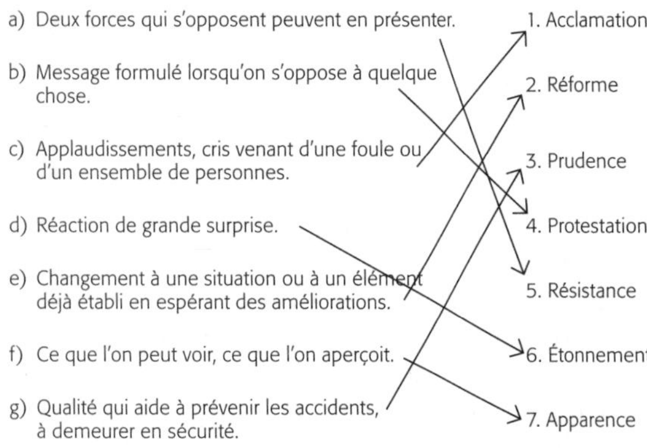

3. a) Vrai

b) Faux. Il y en a plusieurs, comme *marron, prune, pêche, olive*…

Page 48

4. Vous en avez assez des parties de hockey entre amis et vous êtes un amoureux de la baignade peu importe la (saisson, saizon, **saison**) ? Vous aimerez sans doute le water-polo, ce sport de longue date encore méconnu pour plusieurs personnes au Québec. Cette discipline olympique a cependant un bon nombre d'adeptes dans la (provinse, **province**, provinsse), et on compte plusieurs clubs, tant en milieu urbain qu'en milieu rural. Contrairement aux divers sports pratiqués dans notre environnement nordique, le water-polo se pratique à l'année et ne nécessite pas un grand investissement en équipement. Un maillot, des lunettes de (pisicne, **piscine**, picine) ainsi qu'un ballon sont en général suffisants pour participer à ce beau sport d'équipe. De plus, l'exercice effectué dans l'eau est reconnu pour être très exigeant physiquement, mais beaucoup moins dommageable pour les articulations ou le (**corps**, corp, cors) que certains sports que choisissent plus souvent les Québécois, comme la course à pied ou le vélo. Bref, il y a tant d'avantages à découvrir le water-polo !

Page 51

5. a) L'équipe de soccer devra changer de (tactik, **tactique**, taquetic) si elle tient à la victoire.

b) Shany se plaît à dire qu'elle doit ajouter un (**soupçon**, soupeçon, soupson) de magie dans ses compétitions pour gagner.

c) On peut dire sans (exagérasion, **exagération**, hexagération) que Claudine est la meilleure dans ce sport.

d) Plusieurs athlètes sont remplis de (grattitude, gratitud, **gratitude**) envers leurs parents pour leurs nombreux sacrifices.

e) La (tampérature, températur, **température**) n'est pas clémente pour les skieurs.

f) Le sauveteur s'assure de la (**profondeur**, proffondeur, profondeure) de l'eau avant d'annoncer le départ.

g) Les adeptes de ce sport ont certainement une grande (soiffe, souaf, **soif**) d'adrénaline pour affronter un tel défi.

h) Souvent, le (**succès**, succais, suxsès) vient après plusieurs défaites.

i) J'ai réservé 10 places pour les membres de ma famille au (bant, band, **banc**) numéro 8.

j) L'arbitre demande un (arret, **arrêt**, arrèt) de la partie puisqu'un joueur semble blessé.

k) Le terrain de tennis se trouve au bout de l'(allé, **allée**, alée) centrale.

l) Cette partie ne comporte pas beaucoup d'(acttion, **action**, acsion).

Page 52

6.

a) Se caractérise par une impolitesse, un manque de respect. → 1. Insolence

b) Discussion dans le but d'échanger des idées ou des opinions sur un sujet. → 4. Débat

c) Un poids lourd à porter, une charge importante parfois invisible à l'œil. → 3. Fardeau

d) Histoire racontée pendant plusieurs années et qui s'inspire de la réalité. → 2. Légende

e) Se produit très tôt dans la matinée, lorsque le soleil se lève ; de couleur rosée. → 5. Aurore

7. a) Vrai
b) Vrai

Page 53

8. Les cours viennent de se terminer et je m'empresse de rejoindre ma sœur dans sa voiture pour arriver à l'heure à mon (cour, court, **cours**) de badminton. Dans le (**stationnement**, stationement, stationnemmment) du centre sportif de ma ville, à mon arrivée, il y a déjà plusieurs voitures, et même une équipe de télévision. J'imagine qu'il se prépare quelque chose de spécial, mais j'ignore complètement de quoi il s'agit. Dans les (vestières, verstiairs, **vestiaires**), tout semble comme à l'habitude. Une fois changée, je me dirige vers le (**gymnase**, gimnase, gymmnase), et c'est à cet endroit qu'une foule bloque l'entrée. Je me fraie un chemin jusqu'à mon terrain de badminton et je constate enfin ce qui attire tout le monde. Une équipe d'*ultimate Frisbee* est en pleine action. Il est vrai que c'est impressionnant de voir ces athlètes se lancer dans les airs afin d'attraper le disque. Plusieurs sauts, (plonjons, plongons, **plongeons**) et autres cascades sont au rendez-vous, à la grande joie des journalistes !

Page 54

1.

beaucoup	profit	**flocond**
creux	**humaint**	habitat
estomac	**patint**	cas
mignond	roux	rond
carréd	**éclaird**	membre
retard	climat	blond
luisant	lunette	champ
loup	transport	talent
mettre	**océand**	cas
plomb	fêter	primaire
tôt	**vilaint**	vice

Page 55

2. a) Tu ne m'as pas entendu, es-tu **sourd** ? rdou

b) Ce réfrigérateur ne garde pas les aliments au **froid**. dior

c) J'ai acheté un nouveau **tapis** pour l'entrée. pias

d) Plusieurs **choix** de salades peuvent accompagner cette viande. xhio

e) Je vais me retrouver dans de beaux **draps**. pras

f) J'ai reçu un **avis** concernant ta nomination. vsi

3. Vrai

Page 56

4. Ce matin, Alexandre, notre enseignant d'éducation physique, arrive au gymnase avec un large sourire. Il semble nous préparer une surprise ; il nous demande de nous rassembler autour de lui. Lorsque tous les élèves sont bien assis, Alexandre recule et revient avec un ballon qui semble plus grand que moi. Malgré la (hauteure, **hauteur**, auteure) impressionnante du ballon, notre enseignant n'a aucune difficulté à le lever au bout de ses bras. Il le lance vers Mathilde, une fille de ma classe. Cette dernière est étonnée mais réussit (**malgré**, malgrée, malgrés) tout à l'attraper. Le groupe l'applaudit, et chacun désire maintenant jouer. Après quelques minutes passées à se lancer ce ballon (jéan, géan, **géant**), Alexandre nous explique certains règlements du sport que nous allons pratiquer ensemble : le Kin-Ball. J'ai réellement hâte de jouer une (parti, **partie**, partit), mais je doute que je puisse m'exercer à la maison !

Page 58

1. a) Le contremaître a hésité (**hésiter**) longtemps avant de commencer les travaux.

b) Louisa semble (**sembler**) nerveuse à l'idée de se présenter à l'équipe.

c) Le chantier est presque vide et Étienne range (**ranger**) ses outils.

d) La structure de cette maison sera (être) terminée demain.

e) Un inspecteur viendra (**venir**) examiner les travaux dans la journée.

f) Le peintre s'est blessé et nous recommande (**recommander**) son collègue pour terminer son travail.

g) Cet homme porte (**porter**) plusieurs outils dans un sac à l'épaule.

h) Une soumission est remise aux propriétaires qui désirent (**désirer**) rénover leur nouvelle propriété.

i) Cette poutre a été allongée (**allonger**) afin de supporter le poids de la maison.

j) Benoît reçoit (**recevoir**) la facture de l'électricien et reste bouche bée.

Page 59

2.

a) connaître — Vous devez absolument ______ le montant total.

b) fondre — Il sera difficile de ______ cette pierre à deux.

c) envoyer — Vous devez absolument ______ le montant total.

d) soulever — Il sera difficile de ______ cette pierre à deux.

e) réfléchir — Les entrepreneurs doivent ______ aux différentes possibilités.

Nous devons d'abord ______ la demande de permis de construction.

Afin d'empêcher cette pièce de plastique de ______, nous devons l'isoler.

3. a) Faux. Tous les verbes ont une forme infinitive.

b) Vrai. Par exemple : le verbe être et sa forme conjuguée *sont.*

Page 60

4. Je me nomme Myriam et j'ai deux enfants. Je travaille depuis plusieurs années dans un domaine que j'adore et qui me passionne. Plusieurs personnes se disent surprises par la nature de mon travail, et il est vrai que nous ne sommes (avoir, **être**, sommer) que très peu de femmes à occuper ce poste. Nous avons besoin de plusieurs habiletés spécifiques avant d'entreprendre notre formation professionnelle. Nous devons (doit, **devoir**, devancer) avoir un certain intérêt pour les mathématiques, les sciences et l'électricité. Nous ne pouvons souffrir de vertige ou encore d'étourdissements, car notre travail peut être dangereux si un accident survient (survivre, **survenir**, suivre). Vous avez deviné quel est le titre de mon emploi ? Je suis grutière ! La prochaine fois que vous irez (voir, prendre, **aller**) près d'un chantier, regardez en haut, vous m'apercevrez peut-être dans ma grue.

Page 61

1. a) Le plombier et son équipe (achète, **achètent**, achetons) toutes les pièces nécessaires.

b) La pause a été écourtée, alors Léa (**goûte**, goûtes, goûtent) à peine son muffin.

c) Je connais Marc depuis quelques semaines, nous (avons étudier, **avons étudié**, avons étudiés) ensemble.

d) Les locataires (approuve, **approuvent**, approuvant) le choix de couleurs.

e) Ces ouvriers doivent s'arrêter quelques minutes. Ils se (reposera, **reposeront**, reposerons) de leur journée.

f) Vous (**gagnez**, gagniez, gagnent) souvent à ce concours depuis deux mois.

g) Puisque nous avons modifié quelques éléments de décoration, nous (**trouverons**, trouvera, trouvons) de nouveaux meubles pour s'agencer au tout.

h) Dans quelques jours, je me (marie, marierais, **marierai**) avec l'homme que j'aime dans cette nouvelle église.

i) Il a (intégrer, **intégré**, intègre) cette facture au dossier de rénovation.

Page 62

2.

a) Nous devons ______ davantage ces vis. — serrer

b) Cet ingénieur doit s'absenter quelques jours pour ______ les nouveaux plans. — étudier

c) Souvent, les clients de notre compagnie doivent ______ plusieurs années avant d'acheter leur propriété. — économiser

d) Nous allons ______ le coin de cette toile. — plier

e) Après une longue discussion avec eux, je vais ______ de modifier les plans initiaux. — essayer

3. a) Faux

b) Faux

Page 63

4. Depuis de nombreuses années, j'(épargnent, épargna, **épargne**) près de la moitié de mes revenus afin de pouvoir m'acheter mon condo de rêve. Enfin, j'y suis parvenue. Je (ailles, vait, **vais**) donc effectuer un premier versement aujourd'hui afin de réserver ma place dans ce nouveau domaine. En (arivant, arrivent, **arrivant**) dans l'entrée principale, je crois rêver! À gauche, on peut apercevoir des résidents qui nagent dans la piscine intérieure chauffée. À droite, un centre d'entraînement ainsi qu'un petit bistro sont à la disposition des propriétaires. Je me sens comme dans un château, mais un peu plus moderne que dans mes contes préférés. Malgré tout ce confort et cette beauté, une seule chose m'a réellement convaincue de déménager dans cette tour d'habitation: les chiens y sont permis et même souhaités! Jamais je ne pourrai me séparer de Patch, ce gros nounours qui (risquent, risquons, **risque**) d'apprécier ses nouveaux voisins canins!

5. Les mots *paumme* et *boulevart* doivent être encerclés. Les formes correctes sont *paume* et *boulevard*.

Page 64

1. a) À l'époque, les ouvriers (accomplisait, accomplisaient, **accomplissaient**) le même travail avec beaucoup moins d'outils spécialisés.

b) Ces murs (jaunissant, jaunissons, **jaunissent**) à vue d'œil, puisqu'ils sont exposés à la fumée.

c) Plus jeunes, nous (désobéons, **désobéissions**, désobéissons) rarement à nos parents.

d) Je vous (avertiserai, avertiseras, **avertirai**) lorsque je verrai arriver l'acheteur.

e) Tu (définit, défini, **définis**) cet homme uniquement par ses réalisations et ses acquis.

f) Les travaux pourront reprendre, le ciel s'(éclairsit, éclaircis, **éclaircit**).

g) Je (garni, **garnis**, garnit) mon sandwich de plusieurs viandes et légumes.

h) Peux-tu m'apporter l'embout en argent que nous avons (**poli**, polli, polis)?

i) Cette aventure nous a tous blessés profondément. Nous (**guérirons**, guériras, guérisserons) ensemble en nous soutenant.

Page 65

2.

a) Cet avion ne devrait pas ____________ ici.	adoucir
b) Ce matelas devrait ____________ sa chute et le protéger d'éventuelles blessures.	bannir
c) Je l'ai vu ____________ sa canne. Il semblait très agité et en colère.	atterrir
d) Le conseil d'administration a l'intention de ____________ les gros chiens de l'immeuble.	amortir
e) Ce produit fait des miracles avec les pieds et permet d'____________ la peau.	brandir

3. a) Faux. Il n'y a que 3 groupes de verbes.

b) Faux

Page 66

4. Le bureau de ma mère reçoit aujourd'hui de la grande visite. En effet, ils ont invité un expert (provenissant, **provenant**, provient) de Londres afin qu'il partage ses connaissances sur la construction d'un nouveau pont. Monsieur Andrew a contribué à l'élaboration des plans de plusieurs grands ponts du monde, et il a accepté de (viens, vient, **venir**) rencontrer les collègues de ma mère afin de leur donner de précieux conseils. Maman a décidé d'accompagner son invité dans le centre-ville de Montréal afin de lui faire voir un petit coin de notre grand pays. Selon ce qu'elle m'a raconté, M. Andrew a semblé envoûté par l'architecture et la belle diversité des constructions montréalaises. Comme quoi tout le monde est gagnant lorsqu'il (**s'agit**, s'agis, s'agissent) de partager ses savoirs et ses réalisations.

5. Les mots *soife* et *rant* doivent être encerclés. Les formes correctes sont *soif* et *rang*.

Page 67

1. a) Vous (avée touché, **avez touché**, avons touché) à cet interrupteur.

b) Les entrepreneurs précédents (avions détruit, avaient détruit, **ont détruit**) cette partie de l'immeuble.

c) Lors de mon dernier contrat comme designer, j'(eus cousu, **ai cousu**, avait cousu) moi-même les rideaux.

d) Vous devez recommencer votre travail. Vous (avons teint, avais teint, **avez teint**) la terrasse de la mauvaise couleur.

e) Le travail était impeccable. Il (**a balayé**, ont balayé, as balayé) le studio au complet avant de partir.

f) Nous allons pouvoir passer à autre chose. Le fraudeur (avoue, avouait, **a avoué**) sa culpabilité.

g) Ce document nous (file, **a filé**, filera) entre les doigts.

h) Vous vous (sentez, aurez senti, **êtes sentis**) coupables dans toute cette épreuve.

Page 68

2.

a) dorloter → Cette femme de carrière **a dorloté** longtemps ses employés.

b) lire → Ce nouvel employé **a lu / a étudié** jusqu'à très tard hier soir.

c) ruiner → Ce sont les coûts importants de chauffage qui **ont ruiné** l'entreprise.

d) appeler → Tous les gestionnaires **ont lu / ont étudié** les nouvelles directives à appliquer.

e) étudier → Ils **ont appelé** l'urgence tout de suite après cet accident.

3. a) Faux

b) Vrai

Page 69

4. Hier, en fin de journée, un de mes rêves s'est réalisé. Grâce à mon cousin Laurent, j'(ai, avais, **ai eu**) un accès privilégié au lieu de construction du futur amphithéâtre de ma ville. Laurent travaille comme architecte dans ce projet et il m'(avait fait, **a fait**, faisait) visiter certains endroits qui ne seront jamais accessibles au public. Nous (**avons vu**, avais vu, ai vu) les loges des célébrités en visite, les vestiaires de mes équipes de hockey préférées et même les bureaux des grands directeurs de l'endroit. Finalement, j'(ai pouvu, **ai pu**, ai pus) faire mon empreinte de main dans le ciment fraîchement coulé d'un trottoir à l'avant de l'amphithéâtre. Mon cousin (travaille, travailla, **a travaillé**) très fort pour obtenir ce poste, et je crois qu'il s'agit du plus beau défi de sa carrière.

Page 70

1. a) Nous (couchons, couchent, **coucherons**) les enfants juste avant votre arrivée.

b) Lors de sa visite, tu (as exigé, **exigeras**, exigea) sa carte d'identité.

c) Avant de fermer les murs de cette section, nous les (**isolerons**, isoleront, isolera).

d) Je (joignerai, **joindrai**, joindrais) M. Savard avant de signer ces documents.

e) Ces grandes toiles (protégera, protégea, **protégeront**) les planchers.

f) Il vous (a plu, **plaira**, plaisera) d'apprendre que je m'ajouterai à l'équipe.

g) Le nom de ce projet (rima, **rimera**, a rimé) avec votre propre nom.

h) Les acheteurs et les promoteurs (**raffoleront**, raffolont, ont raffolé) du concept.

i) Bien entendu, les deux détaillants (tirent, **tireront**, tiront) profit de cet investissement.

j) Nous (triront, **trierons**, trirons) les candidatures selon l'expérience des individus.

k) Vous (versez, **verserez**, a versé) cette somme quelques jours avant la date prescrite.

Page 71

2.

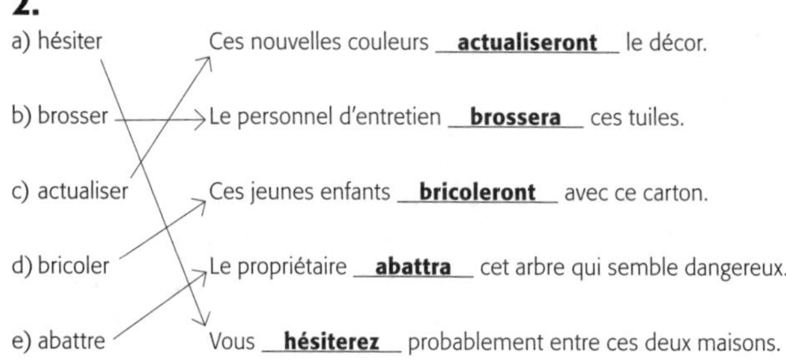

3. a) Vrai

b) Vrai. Ex. : le verbe *mourir* : *ils mourront.*

Page 72

4. Sur ma route vers l'école, un policier m'arrête et me demande si j'étais dans les environs au cours des trente dernières minutes. Un peu nerveux, je réponds que oui, puisque j'étais à la boutique de jeux vidéo située juste en face. Le policier me demande donc d'attendre là et m'explique ce qui se (passe, passeras, **passera**) pour moi. Puisqu'il y a eu un important vol d'outils sur le chantier tout près, des enquêteurs (vont venir, **viendront**, viendrons) me poser quelques questions. Puis, je (dois, devrais, **devrai**) me rendre au poste de police pour remplir une déposition officielle. Finalement, quelques agents (téléphonent, téléphonera, **téléphoneront**) chez moi durant la semaine afin de faire un suivi, selon les nouvelles informations. Disons que mes plans pour la semaine (changera, **changeront**, ont changé) certainement et que ma mère (**devra**, doit, devras) autoriser mon absence à quelques cours, vu ces circonstances exceptionnelles.

5. Les mots *aplication* et *crane* doivent être encerclés. Les formes correctes sont *application* et *crâne*.

Page 74

1. Parfois, plusieurs réponses sont possibles. Voici quelques exemples.

a) Tu **ne** pourras **pas / plus** cacher ce talent bien longtemps.

b) Il **n'**a **jamais / pas** été capable d'exécuter ce saut incroyable.

c) Ce bandeau **ne** cache **pas / nullement** sa vue.

d) Tu **ne** dois **jamais / pas** imiter ce que tu vois à la maison.

e) Vous **ne** pouvez **jamais / pas** me raconter ce qui s'est passé dans cette salle.

f) Ils **n'**ont **pas / aucunement** le droit de vous imposer une telle corvée.

g) Son pied est tellement gros qu'il **ne** peut **plus** marcher.

h) Elle **n'**aura **pas / aucunement** à rendre des comptes à ce menteur.

Page 75

2. a) **Tu n'en croiras pas tes yeux**.

b) De quelle couleur sont ses bâtons?

c) **Hélas! Le numéro n'a pu être terminé.**

d) **Il n'y a pas de montage dans cette vidéo spectaculaire**.

e) **Les héros des histoires présentées au cinéma ne sont pas tous des exemples à suivre.**

f) **Cette force musculaire ne semble aucunement naturelle**.

g) Ce chercheur de têtes écoute attentivement le musicien qui épate la galerie.

3. a) Faux

b) Vrai

Page 76

4. Le dessin de l'enfant doit représenter un lapin ayant des cheveux de près de 37 centimètres (précision ajoutée par écrit). Il doit avoir des mèches près des yeux et une carotte à sa droite. Les autres éléments ne doivent pas figurer sur l'image.

Page 77

5. Le dessin de l'enfant ne doit comporter que les éléments des phrases négatives du texte.

Page 78

1. a) **Avec qui** avez-vous pu vous exercer au quotidien?

b) **Quand / Avec qui** avez-vous découvert cette passion hors du commun?

c) **Pourquoi** n'avez-vous commencé vos représentations qu'à 18 ans?

d) **Est-ce que** vous êtes la seule femme capable d'un tel exploit?

e) **Où / Quand / Avec qui** avez-vous trouvé ce chat étrange?

f) **Qui** vous inspire le plus dans votre domaine?

g) **Est-ce que** tu crois que certains individus naissent avec un don naturel?

h) **Combien** d'heures par semaine vous exercez-vous?

Page 79

2. a) **À qui la chance de remporter ce concours?**

b) Je ne me suis pas sentie très bien durant ce numéro.

c) **As-tu vu le nombre de livres que cet homme peut soulever?**

d) **Pourra-t-elle s'en remettre?**

e) Imagine un peu la peine qu'elle doit avoir!

f) Si on peut tous l'essayer, seules quelques personnes y parviendront.

g) Attention à la marche!

h) **Qui est derrière ce décor?**

3. a) Vrai

b) Faux

Page 80

4. L'enfant doit avoir dessiné le fait insolite avec les détails apparaissant dans les phrases interrogatives (ex. : la hauteur du saut, l'âge de l'homme, le paysage décrit). Les autres éléments, comme la chèvre sur les épaules, ne doivent pas figurer sur l'image.

Page 81

5. Le dessin de l'enfant ne doit comporter que les éléments des phrases interrogatives.

Page 82

1. a) ________ (Manges, **Mange**, Mangez) ton repas avant qu'il ne soit trop tard.
b) ________ (Ouvrir, Ouvres, **Ouvre**) ton cahier avant de faire cette activité.
c) ________ (Courer, Courrez, **Courez**) la chance de participer au tournage !
d) ________ (Inscrivez, **Inscris**, Inscrit)-toi au groupe pour débutants.
e) ________ (**Va**, Vais, Allez) chercher ton ordinateur pour prendre des notes !
f) ________ (**Chantons**, Chanter, Chantent) la chanson du numéro d'ouverture.
g) ________ (Voyont, Voyon, **Voyons**) ce que je peux faire pour vous aider !
h) ________ (Trouves, Trouverons, **Trouvons**) la solution à ce problème.
i) ________ (Fini, **Finissez**, Finit) votre collation avant de quitter la pièce.
j) ________ (**Grandis**, Grandir, Grandit) un peu !
k) ________ (Arrêtez, Arrete, **Arrête**) ton cinéma !

Page 83

2. a) **Lis un livre en attendant.**
b) **Dis-moi quelque chose de drôle.**
c) C'est elle qui l'a !
d) Croyez-vous en ce type de magie ?
e) Il ne faut pas se laisser berner.
f) Si le ciel s'assombrit, le spectacle ne pourra pas avoir lieu.
g) Je dois rester à la maison avec mon chat malade.
h) **Arrêtons d'y penser !**

3. a) Faux
b) Vrai

Page 84

4. L'enfant doit avoir dessiné le sous-marin avec certains détails (ex. : son poids, l'endroit du départ, la petite cabine pour le pilote). Les autres éléments ne doivent pas figurer sur l'image.

Page 85

5. Le dessin de l'enfant ne doit comporter que les éléments des phrases impératives.

Page 86

1. a) **Tant** de choses restent à ranger !
b) **Que** / **Comme** votre visage a changé !
c) **Que** / **Comme** votre travail semble difficile !
d) **Quelle** idée farfelue d'avoir pensé à ce duo !
e) **Quels** bons amis ils font !
f) **Quels** chics garçons !
g) **Quelle** grande nouvelle vous nous annoncez là !
h) **Qu'**ils sont ingénieux !
i) **Quel** plan redoutable !

Page 87

2. a) Je n'arrive pas à me faire à l'idée.
b) **Quelle magnifique paire de chaussures !**
c) Iras-tu voir ta grand-mère demain ?
d) Elle clame haut et fort qu'elle est en désaccord !
e) Je ne me sens pas assez bien pour y assister.
f) **Tant d'amour se retrouve dans ce message !**
g) Donnez-lui son médicament !
h) **Comme la journée file** !

3. a) Faux
b) Vrai

Page 88

4. L'enfant doit avoir dessiné le fait insolite du frappé aux fruits avec les détails apparaissant dans les phrases exclamatives seulement (petits fruits, quinze mélangeurs, quatre heures de préparation, 686 gallons). Les autres éléments ne doivent pas figurer sur l'image.

Page 89

5. Le dessin de l'enfant ne doit comporter que les éléments des phrases exclamatives.

Page 92

1. Je suis parmi les premières à dire que les réseaux sociaux apportent du négatif dans nos vies. Cependant, la semaine dernière, j'ai dû admettre que dans certaines situations, ils peuvent faire une différence importante. Cette (minusociété, **microsociété**) s'active réellement rapidement et permet de diffuser de l'information à une vitesse jusqu'ici (imsoupçonnée, **insoupçonnée**) de ma part. Lorsque chaque minute compte, cette plateforme (**multifonction**, plurifonction) s'avère souvent la meilleure ligue (contre-crime, **anticrime**) !

La notion traitée ici est : les préfixes.

Page 93

3. Depuis plusieurs années, tous les enfants (adolescents, nouveau-nés, **adultes**) ou intervenants qui travaillent avec moi me répètent sans cesse de mieux m'organiser, de planifier mes travaux ou encore de mieux gérer mon budget. J'entends bien leur message, et moi aussi, je suis fatigué d'être toujours à la course ou en avance (à l'heure, **en retard**). Le problème, c'est que je ne sais pas comment changer. Je commence aujourd'hui des rencontres avec un groupe qui propose de m'aider dans cette démarche. À la première rencontre, la responsable me remettra un bracelet que je ne dois toujours (souvent, **jamais**, rarement) enlever, pas même sous la douche ! Ce bracelet conservera peu (**plein**, moins) d'informations sur mes habitudes de vie, comme le sommeil, l'alimentation, l'exercice physique. Il veillera en quelque sorte sur moi !

La notion traitée ici est : les antonymes.

Page 95

1. Le dauphin de Chine a officiellement disparu il y a plus de dix ans des eaux de notre (juste, **belle**, complète) planète. Cet animal portant le nom du pays où il vivait arrivait à vivre dans l'eau (**douce**, gelée, noire). Malgré sa grande capacité d'adaptation à son milieu de vie, on en dénombrait seulement sept il y a quelques années. De taille semblable à un humain, il était néanmoins beaucoup plus (jaune, **lourd**, moustachu) que ce dernier. Il pouvait peser entre 100 et 160 kg. Par contre, ce qui le distinguait réellement des autres dauphins, c'était son (frisé, **long**, froid) bec. En effet, il possédait toute une arme pour se nourrir, avec de nombreuses dents bien (coupées, trouées, **aiguisées**). La triste disparition de ce dauphin nous sert aujourd'hui de leçon pour protéger d'autres animaux menacés.

La notion traitée ici est : les adjectifs.

Page 96

3. Présent sur de petites îles autour de la Californie, le renard gris a connu des années sombres. En effet, à cause de maladies virales et d'attaques d'aigles, l'espèce était en chute libre depuis les années 90. Le renard gris a été (aucunement, étonnant, **formellement**) déclaré en voie de disparition en 2004. Cependant, grâce à la mobilisation des organismes de protection des animaux ainsi qu'à leurs collaborateurs, un programme de protection a été mis sur pied assez (rapide, lentement, **rapidement**) pour freiner l'extinction de cette espèce. La vaccination et une loi spéciale de protection étaient au cœur de ces actions et elles ont porté leurs fruits. Aujourd'hui, le renard gris n'est plus menacé et a un avenir (**franchement**, fraîchement, épeurant) rassurant !

La notion traitée est : les adverbes.

Page 98

1. Quelle chance ! Mes (c, ç, g)**g**randsparents viennent souper à la maison ce soir. J'adore les avoir près de moi. Ils ont toujours un million d'anecdotes à ra(c, ç)**c**onter et peuvent répondre à toutes mes questions sur différents sujets. Ma grand-mère a déjà fait partie d'une grande troupe de danse (ç, c)**c**lassique et a dû voyager dans différents pays pendant de nombreuses années. Quant à mon grand-père, il était entraîneur d'une équipe professionnelle de soccer. Puisque je viens de m'inscrire à mon tour dans un (c, ç)**c**lub de soccer, j'espère qu'il pourra me raconter (c, ç)**c**ertains de ses souvenirs, et principalement ses meilleurs trucs pour un joueur débutant comme moi.

La notion traitée ici est : *c/g* doux et dur.

Page 99

3. Peu importe la discipline sportive, le rêve d'aller aux Jeux olympiques fait souvent partie de la vie d'un jeune (**athlète**, atlète, hatlète). Plusieurs disciplines y sont effectivement représentées, dans les sports d'hiver comme dans les sports d'été. Lorsque les Jeux sont diffusés, il est impressionnant de voir à quel point tous les (environements, anvironnements, **environnements**) propices aux sports sélectionnés sont recréés. Pour ma part, je fais depuis quelques années du ski acrobatique et je regarde attentivement toutes les (compétisions, **compétitions**, conpétitions) de notre équipe canadienne. En attendant de pouvoir me qualifier pour les prochains Jeux olympiques, j'essaie d'en apprendre (d'avantage, **davantage**, davantaje) sur le parcours parfois long et ardu des sportifs de haut niveau !

La notion traitée ici est : orthographe d'usage.

Page 101

1. Les travaux ont commencé plus tard ce matin, car nous avions une réunion de dernière minute. Un stagiaire devait se (joint, joigne, **joindre**) à notre équipe pour la journée afin de voir si le travail sur le chantier pouvait lui plaire. À notre grande surprise, l'apprenti est arrivé sans gourde d'eau ni collation. De plus, en l'examinant davantage, on s'est rendu compte qu'il n'avait pas de bottes de travail ni de chapeau pour se (**protéger**, protégé, protège) du soleil. La journée allait être longue pour ce travailleur peu expérimenté, et il semblait déjà (veut, **vouloir**, vouloire) retourner chez lui. Après quelques minutes de consultation, l'équipe de travail a accepté de lui (**prêter**, prêté, preter) le matériel nécessaire et de (partage, partajer, **partager**) le contenu de leurs boîtes à lunch. Heureusement que ce stagiaire est tombé dans une équipe où l'on s'entraide !

La notion traitée ici est : infinitif du verbe.

Page 102

3. Enfin, j'allais pouvoir voir ma nouvelle chambre. Depuis le début des rénovations, je suis comme un itinérant dans ma propre maison. Lorsque la cuisine était envahie par les travailleurs, le salon servait de salle à manger, alors que lorsque les travaux étaient au sous-sol, on me demandait de partager la chambre de ma sœur pour quelques nuits. Hier, soulagé de regagner mes quartiers, je me (suis lancer, **suis lancé**, est lancé) littéralement dans mon lit. Avec mon trop-plein d'enthousiasme, j'(a cogné, **ai cogné**, ais cogné) la base de mon lit dans le mur assez durement pour qu'un trou se forme dans la plaque de plâtre. Je me (est penché, suis penchés, **suis penché**) pour voir l'étendue des dégâts quand mes yeux se sont posés sur un objet brillant. Une belle pièce de monnaie rutilante (**a roulé**, sont roulé, a roulent) au sol ; elle semblait provenir d'une autre époque. Effectivement, la pièce était datée du début des années 1900. Peut-être suis-je devenu millionnaire !

La notion traitée ici est : passé composé.

Page 104

1. La notion traitée ici est: phrase interrogative.

Le dessin de l'enfant ne doit comporter que les éléments des phrases interrogatives.

Page 105

2. Le dessin de l'enfant ne doit comporter que les éléments des phrases interrogatives.

Page 107

Un exposé intrigant

Lors de notre dernier cours de français, notre enseignante remplaçante nous a demandé de réfléchir à un talent particulier que nous avons dans le but de le partager avec le reste du groupe. Ce matin, à notre arrivée, de grandes affiches blanches sont installées au babillard où on peut lire en grosses lettres: «Des élèves pleins de talent!» L'enseignante nous propose de venir un à un à l'avant de la classe afin d'expliquer en quoi consiste notre talent caché. Plusieurs jeunes parlent de leurs talents musicaux, d'autres, d'excellentes habiletés dans les sports. Mika, un jeune garçon de ma classe, se lève et demeure debout devant le groupe. Il ne parle pas et semble embêté de nous raconter ce qu'il a à dire. Après quelques mots d'encouragement de nous tous, Mika finit par nous faire toute une grimace. Quelle surprise de voir que ce dernier arrive à toucher le bout de son nez avec sa langue!

Page 108

Une visite mémorable

J'ai gagné! Je savais bien qu'en participant à ce concours, je courais la chance de remporter ce prix, mais je n'en reviens tout simplement pas. Je vais passer une journée dans les bureaux des concepteurs de mes jeux vidéo favoris! Au programme: je vais pouvoir visiter les installations des laboratoires, des espaces de création et, en prime, je vais pouvoir essayer le tout nouveau jeu qui n'est pas encore offert au grand public. J'ai tellement de questions à poser à Philippe, l'organisateur de cet évènement. Il y a plusieurs dizaines de métiers possibles dans ce domaine, mais celui de concepteur graphique m'interpelle particulièrement. Je souhaite vivement pouvoir y retourner un jour comme stagiaire. Si jamais j'arrive à me bâtir une carrière intéressante dans les jeux vidéo, mes parents devront me donner raison de passer autant d'heures devant mon écran, même si je sais qu'au fond, ce qu'ils veulent, c'est que je sois en santé!

Page 109

Louis, mon cousin

Ma famille et moi passons la semaine de relâche en vacances avec ma tante, mon oncle et mon cousin Louis. J'apprécie mon cousin pour ses nombreuses qualités, mais également pour son imagination débordante. Il a toujours un plan pour construire quelque chose de nouveau. Lorsqu'il étudiait pour ses examens, il a tenté de construire son propre robot qui l'aiderait dans ses devoirs. Aussi, quand nous avons eu notre exercice d'incendie à l'école, Louis a inventé sa propre alarme directement reliée à sa montre intelligente. Lorsqu'ils nous voient arriver, Louis et ses parents se ruent vers nous. Mon cousin me tend un cadeau et me dit qu'il y a travaillé très longtemps, mais qu'il est content du résultat. Lorsque j'ouvre la petite boîte, j'en sors un appareil vidéo. Louis nous a fabriqué un système de caméra qui nous permettra de nous voir quand bon nous semble!

Page 110

Un cadeau bien pensé!

C'est mon anniversaire aujourd'hui et j'ai prévu une soirée entre filles pour souligner l'occasion. Bien entendu, nous aurons beaucoup de choses à nous dire toute la soirée, mais j'ai aussi eu envie de nous organiser un petit quelque chose de spécial. Je sais que mes amies raffolent de tennis, et nous avons toutes notre joueuse préférée. C'est ce qui m'a donné l'idée de nous offrir un cours de groupe de tennis avec la grande Lisa, cette joueuse de chez nous qui brille dans plusieurs pays lors de ses compétitions. Lorsque le groupe est bien arrivé chez moi, j'annonce la grande nouvelle et un cri de joie unanime se fait entendre dans toute la maison. Lisa vient nous rejoindre dans le salon à ce moment et nous remet un chandail autographié par elle-même. Je crois que je ne pouvais espérer un plus beau cadeau qu'une partie de tennis avec toutes mes amies!

Page 111

Camping sauvage?

Mon petit frère et moi partons en camp de vacances pour trois nuits de camping sauvage. Nos bagages sont finalement prêts, mes parents viennent nous reconduire au lieu de rencontre de notre groupe. Un autobus scolaire viendra nous chercher et nous amènera dans le parc national à proximité. Mon frère semble inquiet lorsqu'il regarde ce qu'il a dans son sac à dos. Il affirme avoir oublié quelque chose de très important qu'il juge essentiel à son quotidien. Ma mère lui dit qu'il a bien ses lunettes, ses bouchons pour les oreilles et ses médicaments et qu'elle est certaine que tout est bien rangé dans sa trousse comme prévu. C'est à ce moment que mon frère nous dit qu'il ne peut pas partir sans sa tablette électronique! D'un air désespéré, mes parents l'embrassent et le poussent gentiment à bord de l'autobus. Je crois qu'il n'a pas encore une idée claire de ce que seront nos trois nuits en forêt!

Page 112

Mémoire d'époque

C'est la journée du grand ménage de grenier aujourd'hui, et tout le monde doit aider. Je commence donc par vider de grosses boîtes remplies d'objets qui appartenaient à mes arrière-grands-parents. Ma mère n'a jamais pu s'en départir, mais maintenant que nous avons besoin d'espace de rangement, nous devrons conserver seulement quelques objets. C'est à ce moment qu'un bâton de baseball glisse de son étui en cuir et roule jusqu'à moi. Les initiales «H. L.» sont gravées sur le manche, de même que l'année 1909. Ce bâton appartenait certainement à mon arrière-grand-père, Henry Levac. Il y a même quelques photos souvenirs au fond de l'étui. On peut y voir plusieurs jeunes garçons vêtus d'uniformes avec le logo de l'équipe, les Flammes. Je crois que ces objets feront certainement d'excellents souvenirs que je pourrai montrer à mes amis.

Page 113

À l'affiche!

Encore une soirée de pluie. Je ne sais plus quoi faire pour m'occuper durant mes congés scolaires. Bien sûr, il y a quelques jeux de société au sous-sol ou encore un livre emprunté à la bibliothèque qui peuvent être de bons plans pour l'après-midi, mais je n'ai pas envie de m'occuper seul. Je vais à l'étage voir ma mère, qui se prépare à sortir. Elle me dit qu'elle ne peut jouer avec moi, car elle va voir un film au cinéma. Elle m'invite à me joindre à elle. Je décline d'abord son invitation puisqu'elle va voir un documentaire sur l'Égypte, mais elle insiste en disant que j'aimerai sûrement ce film. Je finis par dire oui, mais dans la voiture, je ne lui parle pas beaucoup et je regrette déjà d'avoir accepté. Ma mère sourit et me dit que je changerai sans doute d'idée. Nous sommes maintenant dans la salle de cinéma et le film commence. Tout s'explique maintenant! Je reconnais bien là l'humour de ma mère. Le reportage porte sur les momies égyptiennes, un de mes sujets préférés!